LES HORS-LA-LOI DU TEXAS

Du même auteur
aux Éditions Stock

PLEURE GÉRONIMO.
PETIT ARBRE.

Forrest Carter

Les hors-la-loi du Texas

Traduit de l'américain par Jean Guiloineau

Stock

Titre original :
GONE TO TEXAS
(Delacorte Press/Eleanor Friede)

Pour Ten Bears

Préface

On appelle le Missouri la « Mère des hors-la-
loi ». C'est dans les suites de la guerre de
Sécession qu'il a acquis ce titre, quand des
hommes aigris qui avaient combattu dans la
guerre de la Frontière (une guerre dans la
guerre) n'ont pas pu se trouver de place dans
une société déchirée par d'anciennes hostilités
et un gouvernement de Reconstruction. Ils
vivaient à cheval et sans but dans le cercle
infernal des représailles, du brigandage et des
batailles au pistolet, ce qui ne menait nulle
part. On avait oublié la cause et tout ce qui
restait c'étaient les haines personnelles, le châ-
timent... et la survie. Beaucoup sont partis au
Texas.

Si le Missouri était la « mère », le Texas était
le « père »... le refuge, avec des espaces illimités
et une frontière violente où un homme habile au
pistolet pouvait trouver une raison de vivre et
de l'espace pour se déplacer. Les trois lettres
GTT, gravées en hâte sur la porte d'une cabane
du Sud, suffisaient pour que les parents et les
amis de celui qui les avait tracées comprennent

qu'il avait des « problèmes » avec la loi et qu'il était *parti au Texas*[1].

A cette époque on ne les appelait pas des *gunfighters*[2] ; cela est venu dans les années 1880 avec les romans à quatre sous. On disait *pistolmen*[2], en référence à leur arme, un pistolet, ou à la marque, un Colt 44. Les guérilleros du Missouri étaient des experts au tir au pistolet. D'après les dépêches de l'armée des Etats-Unis, ils faisaient des ravages avec cette « nouvelle » arme de guerre.

Voici l'histoire d'un de ces hors-la-loi.

Les hors-la-loi et les Indiens sont vrais, ils ont existé ; ils ont vécu en un temps où la signification des mots de « bien » et de « mal » dépendait essentiellement du type qui les prononçait. Le mal était trop mêlé à ce que nous appelons le « bien » ; aussi nous n'essaierons pas de les juger, nous tenterons simplement, et du mieux que nous le pourrons, de dire les choses « comme elles sont », ou plutôt comme elles étaient.

Les hommes, les Blancs et les Rouges, l'époque qui les a produits, comment ils ont vécu et comment ils ont fini leur carrière.

1. En anglais : GTT, Gone To Texas, titre original du roman. *(N.d.T.)*

2. Mot à mot : *gunfighter*, celui qui se bat avec une arme (un pistolet) ; *pistolman*, homme au pistolet. *(N.d.T.)*

Première Partie

1

La dépêche a été enregistrée le 8 décembre 1866 :

De : Région militaire centrale du Missouri. Commandant Thomas Bacon, 8e de cavalerie du Kansas.

A : Quartier général, région militaire du Texas, Glaveston. Général de division Charles Griffin. Dépêche envoyée également à : général Philip Sheridan, région militaire du Sud-Ouest, La Nouvelle-Orléans, Louisiane.

« Vol en plein jour de la Mitchell Bank, à Lexington, comté de Lafayette, Missouri, 4 décembre. Bandits en fuite avec huit mille dollars solde armée : pièces d'or neuves de vingt dollars. Poursuite jusqu'au territoire indien. Pensons se dirigent vers Texas. Un bandit grièvement blessé. Un identifié. Description :
Josey Wales, 32 ans. Taille 1,85. Poids 80 kg. Yeux noirs, cheveux châtains, moustache moyenne. Profonde cicatrice balle horizontale pommette droite. Profonde cicatrice couteau bouche coin gauche. Déjà recherché par armée comme ex-lieutenant de guérilla sous les ordres capitaine Bloody Bill Anderson. Wales a refusé amnistie

et reddition, 1865. En plus activités criminelles doit être considéré comme rebelle en insurrection. Armé et dangereux. Armée région Missouri offre trois mille dollars récompense. Mort ou vivant. »

Il faisait froid. Le vent fouettait les pins humides qui gémissaient lugubrement, et les gouttes de pluie frappaient comme des balles. Des étincelles jaillissaient des feux de camp qui scintillaient, et les soldats autour maudissaient les officiers qui les commandaient et les mères qui les avaient mis au monde.

Les feux de camp étaient curieusement disposés en demi-lune et formaient une ligne de lumière au pied des premières collines des Ozark Mountains. Dans la nuit sombre, obscurcie de nuages, les points brillants ressemblaient à un filet voulant empêcher les montagnes de descendre dans la vallée de la Neosho, dans les Nations indiennes, juste derrière.

Josey Wales savait ce que signifiait ce filet. Il s'accroupit, deux cents mètres en arrière, dans la profondeur d'un bois de pins, et observa tout en mâchant une chique d'un air contemplatif. En près de huit ans, combien de fois avait-il vu la cavalerie yankee jeter un filet autour de lui ?

Ce jour de 1858 lui semblait dater d'un siècle. Un jeune fermier du nom de Josey Wales suivait sa lourde charrue au fond d'une petite vallée dans le comté de Cass, au Missouri. Il aurait une belle récolte cette année, une grande entreprise pour un homme des montagnes, et Josey Wales était des montagnes. Depuis ses arrière-grands-parents, sa famille vivait sur les crêtes bleues de Virginie, sur les sommets brumeux du Tennessee et dans la beauté sauvage des Ozark. Tous avaient été montagnards. La montagne c'était une façon de vivre ; un refuge et l'indépendance, une philosophie au code particulier de l'homme des montagnes.

« Quand le sol est pauvre, le sang est riche », telle était l'expression de leur clan. Redresser un tort était obligatoire comme s'il s'était agi d'une faveur. C'était une religion qui dépassait la pensée et qui imprégnait la moelle des os et vivait et mourait avec l'homme.

Josey Wales était venu dans le comté de Cass avec sa femme et son petit garçon. La première année, il s'était « engagé » pour quarante acres de terre[1]. Il avait construit la maison de ses mains et avait semé ses champs. Cette année il s'était « engagé » pour quarante acres supplémentaires au fond de la vallée. Josey Wales allait de l'avant. Il avait attelé ses mules à sa charrue dans l'obscurité du petit matin et avait attendu dans les champs, appuyé sur les mancherons, que les premières lueurs lui permettent de commencer le labour.

Ce n'est que beaucoup plus tard que Josey Wales avait vu la fumée s'élever, en ce matin de printemps de 1858. Le fond de la vallée n'avait jamais été labouré et la charrue sautait sur les racines. Josey criait : hue, dia, pour faire tourner les mules autour des souches. Il n'avait pas levé les yeux avant d'entendre les coups de feu.

---

1. Une acre, environ un arpent, un demi-hectare. (*N.d.T.*)

C'est alors qu'il avait vu la fumée. Elle s'élevait noire et grise sur la crête. Ce ne pouvait être que la maison. Il avait laissé ses mules et s'était mis à courir pieds nus. Les pattes de sa salopette battaient ses jambes maigres ; il courait de toute sa force dans les ronces, les sumacs et les ravinements pierreux. Il ne restait pas grand-chose quand il s'était écroulé à bout de souffle sur le terrain défriché. La charpente de la cabane s'était effondrée. Le feu avait déjà tout dévoré et il ne restait que de petites colonnes de fumée. Il avait couru, il était tombé, il avait couru encore en tournant autour des ruines. Il avait hurlé le nom de sa femme, il avait appelé le bébé jusqu'à ce que sa voix enrouée ne soit plus qu'un murmure.

Il les avait trouvés dans ce qui avait été la cuisine. Ils étaient tombés près de la porte, et les bras calcinés de l'enfant étaient accrochés au cou de sa mère. Sans savoir ce qu'il faisait, Josey était allé comme un automate chercher deux sacs dans la grange et y avait mis les deux corps carbonisés. Il avait creusé une seule tombe sous le grand chêne au bout du jardin et quand l'obscurité était tombée et que la lune avait recouvert les ruines d'argent, il avait essayé de faire un enterrement chrétien.

Mais ses souvenirs de la Bible ne lui revenaient que par morceaux : « Tu es poussière et tu retourneras en poussière... » avait-il marmonné, le visage noirci par la fumée. « Le Seigneur donne et le Seigneur reprend... » et enfin : « Œil pour œil, dent pour dent. »

Des larmes ruisselaient sur son visage dans le

clair de lune. Son corps s'était mis à trembler avec une violence irrépressible, ses dents claquaient, il secouait la tête. C'est la dernière fois que Josey Wales a pleuré.

2

Bien que les raids aient été nombreux de part et d'autre de la frontière entre le Kansas et le Missouri depuis 1855, l'incendie de la cabane de Josey fut la première des expéditions des Pantalons rouges pour frapper le comté de Cass. L'infamie de Jim Lane, Doc Jennison et James Montgomery, qui conduisaient des armées de pillards au Missouri, était déjà célèbre. Sous le faible prétexte d'une « cause », ils mettaient la frontière à feu et à sang.

Josey avait « pris le maquis » où il en retrouva d'autres. Quand la guerre entre les Etats commença, ces jeunes fermiers étaient des vétérans de la guérilla. Les formalités des gouvernements en conflit ne signifiaient rien d'autre que d'être repoussés plus loin dans le maquis par une armée d'occupation. Ils étaient déjà en guerre. Et ce n'était pas une guerre avec des règles et un code de politesse, des batailles qui commençaient et finissaient et le repos derrière le front. Il n'y avait pas de front. Pas de règles. C'était une guerre au couteau, une guerre de granges brûlées, de campagnes ravagées, de maisons pillées et de femmes violées. Une vendetta sanglante. Le drapeau noir devint un signe d'honneur : « Nous ne demandons pas de quartier et nous n'en faisons pas. » Et ils n'en faisaient pas.

Quand le général de l'Union Ewin donna l'ordre numéro onze, d'arrêter les femmes, de brûler les maisons, de vider de leur population les comtés du Missouri sur la frontière avec le Kansas, d'autres cavaliers vinrent grossir les rangs de la guérilla. Quantrill, Bloody Bill Anderson, dont la sœur avait été tuée dans une prison de l'Union, George Todd, Dave Pool, Fletcher Taylor, Josey Wales ; au Kansas et dans le territoire de l'Union, l'infamie de ces noms ne cessait de croître, mais pour les gens c'étaient « les gars ».

Les soldats de l'Union déclenchèrent l'horrible « Nuit sanglante », dans le comté de Clay. Ils tirèrent sur une ferme, une femme eut le bras arraché, son jeune fils fut tué et ses deux autres fils rejoignirent la guérilla. Ils s'appelaient Frank et Jesse James.

Comme armes ils avaient des revolvers. Ce sont eux qui en ont mis au point les premiers l'utilisation. Les rênes dans les dents, un colt dans chaque main, ils chargeaient avec une furie suicidaire. Les noms des endroits où ils ont frappé sont devenus célèbres dans cette histoire sanglante. Lawrence, Centralia, Fayette et Pea Ridge. En 1862, le général de l'Union Halleck lança l'ordre numéro deux : « Exterminer les guérilleros du Missouri ; les tuer comme des animaux, pendre les prisonniers. » Et ils devinrent des animaux qu'on chasse ; ils se retournaient pour frapper leurs adversaires avec rage quand la situation était à leur avantage. Les

Pantalons rouges de Jennison mirent à sac et brûlèrent Dayton dans le Missouri, alors « les gars » leur rendirent la pareille en brûlant Aubry dans le Kansas, et sur le chemin du retour vers les montagnes du Missouri, ils attaquèrent toutes les patrouilles de l'Union. Ils dormaient sur leurs selles ou enroulés sous les buissons, les rênes dans les mains. Ils enveloppaient les sabots des chevaux dans des sacs pour se glisser à travers les lignes de l'Union et rejoignaient le Texas par les Nations indiennes pour soigner leurs blessures et se regrouper. Mais ils revenaient toujours.

Quand la marée des Confédérés reflua avant la défaite, les uniformes bleus se sont multipliés sur la frontière. Les rangs des « gars » commencèrent à s'éclaircir. Le 26 octobre 1864, Bloody Bill Anderson est mort, un pistolet fumant dans chaque main. Hop Wood, George Todd, Noah Webster, Frank Shepard, Bill Quantrill, la liste s'allongeait, les rangs diminuaient. La paix a été signée à Appomattox et le bruit courut dans le maquis qu'on garantissait l'amnistie et le pardon aux guérilleros. C'est le petit Dave Pool qui apporta la nouvelle à quatre-vingt-deux des plus durs. C'est ce qu'il leur expliquait ce soir de printemps, autour d'un feu de camp, dans les Ozark Mountains.

« Tout c' qu'i ya à faire, c'est d'aller au poste de l'Union, de l'ver les mains et d' jurer d'êt' loyal aux Etats-Unis. Et pis, dit Dave, on peut r'prendre son ch'val et rentrer chez soi. »

Les bottes raclaient le sol mais les hommes ne disaient rien. Josey Wales, accroupi devant le feu, son grand chapeau rabattu sur les yeux, se recula. Il tenait les rênes de son cheval comme

21

s'il ne s'était arrêté qu'un instant. Dave Pool lança un morceau de pin dans le feu.

« J' crois que j' vais y aller, les gars », dit Dave calmement et il se dirigea vers son cheval. Presque tous les hommes se levèrent et marchèrent vers leurs chevaux. Ils avaient l'air d'une bande de sauvages. De lourds pistolets pendaient à leur ceinture dans des étuis. Certains avaient aussi des revolvers en bandoulière et, çà et là, de longs poignards renvoyaient un éclat du feu. On les avait accusés de beaucoup de choses et ils en avaient fait la plupart mais aucun d'eux n'était lâche. En montant en selle, ils jetèrent un coup d'œil en arrière et ils virent une silhouette toujours accroupie. Les chevaux trépignaient d'impatience mais les cavaliers les retinrent. Pool avança sa monture vers le feu.

« Tu viens pas, Josey ? » demanda-t-il.

Il y eut un long silence. Josey Wales n'avait pas levé les yeux.

« M'est avis qu' non », dit-il.

Dave Pool tourna son cheval.

« Bonne chance, Josey », répondit-il en levant la main en guise de salut.

D'autres mains se levèrent, on entendit le mot « ... chance... » et ils partirent.

Tous sauf un. Après un long moment, son cheval s'avança lentement dans le cercle de lumière. Le jeune Jamie Burns mit pied à terre et regarda Josey de l'autre côté du feu.

« Pourquoi, Josey ? Pourquoi qu' t'y vas pas ? »

Josey le regarda. Dix-huit ans, pas très large, des joues creuses et des cheveux blonds qui tombaient sous son chapeau jusqu'à ses oreilles.

« Tu f'rais mieux de t' dépêcher et d'aller

avec eux, p'tit », dit Josey presque tendrement.
« Tout seul t'y arriv'ras pas. »

Le garçon raclait le sol avec la pointe de sa lourde botte.

« Ça fait environ deux ans que j' suis à côté d' toi, Josey... »

Il s'arrêta.

« ... Je m' demandais seul'ment pourquoi ? »

Josey se leva et s'approcha du feu en tirant son cheval. Il fixait les flammes.

« Eh ben..., dit-il calmement, c'est que j' peux pas... D' toute façon, j'ai nulle part à aller. »

Si Josey Wales avait compris toutes les raisons, ce qui n'était pas le cas, il ne lui aurait pas donné plus d'explications. Il était vrai que Josey n'avait pas d'endroit où aller. Pour sa fière morale de montagnard accepter aurait été un péché. Sa loyauté était là-bas, dans la tombe avec sa femme et son fils. Son devoir c'était la haine. Et en dépit de la ruse qu'il avait apprise, de la rapidité de l'animal, de l'habileté à tuer avec un couteau ou un pistolet, sous tout cela vibrait toujours la fureur de l'homme des montagnes. On avait fait du mal à sa famille. On avait assassiné sa femme et son fils. Personne, aucun gouvernement, aucun roi, ne pouvait réparer. Il ne pensait pas à cela. Seul brûlait en lui ce code du clan transmis depuis des générations, depuis les clans écossais et gallois. Ne pas avoir d'endroit où aller ne signifiait pas que la vie de Josey Wales était vide. Une haine froide et une amertume que trahissaient parfois ses yeux noirs emplissaient ce vide.

Jamie Burns s'assit sur une souche.

« Moi non plus, j'ai nulle part à aller », dit-il.

Un oiseau moqueur commença soudain à chanter dans un chèvrefeuille.

« T'as pas une chique ? » demanda Jamie.

Josey sortit son tabac de sa poche et le lui tendit au-dessus du feu. L'homme et le garçon étaient associés.

3

Josey Wales et Jamie Burns « prirent le
maquis ». Le mois suivant, Jesse James essaya
de se rendre avec un drapeau blanc mais il reçut
une balle dans les poumons et réussit tout juste
à s'enfuir. La nouvelle ne fit que renforcer la
conviction de Josey, sur la traîtrise de l'ennemi,
et il souriait froidement en apprenant la nou-
vellé à Jamie : « J'aurais pu le dire à Dingus[1] »,
dit-il.

Il y en avait d'autres comme eux. En février
1866, Josey et Jamie se joignirent à Bud et
Donnie Pence, Jim Wilkerson, Frank Gregg et
Oliver Shepard pour dévaliser en plein jour la
Saving Bank du comté de Clay à Liberty. La
proscription s'est étendue à tout le Missouri. Un
train du Pacific Missouri fut dévalisé à Otter-
ville. Les troupes fédérales reçurent des renforts
et le gouverneur envoya la milice et la cavalerie.

Mais les anciens repaires n'existaient plus.
Deux fois, ils faillirent être capturés ou tués à la

1. *Dingus* : surnom donné à Jesse James par ses compagnons.
(N.d.A.)

suite d'une trahison. Les traîtres devenaient plus nombreux. Ils commencèrent à parler du Texas. Josey y était allé cinq fois mais pas Jamie. Les brouillards dorés et mélancoliques de l'automne recouvraient les Ozark et les premiers vents froids soufflaient du nord quand Josey dit un matin devant le feu de camp :

« Après Lexington, on ira au Texas. »

La banque de Lexington était une cible « légitime » pour les guérilleros.

« C'est la banque des politicards [1] et de la solde de l'armée yankee », dit Josey.

Mais ils ne respectèrent pas les règles en y allant sans un troisième homme à l'extérieur.

Jamie, avec ses yeux gris, surveillait la porte avec sang-froid tandis que Josey prenait la solde de l'armée. Ils avaient attaqué comme des guérilleros, de façon audacieuse, en plein après-midi. Quand ils sont sortis, Jamie a détaché le premier sa petite jument noire, a sauté en selle et est parti. Josey a détaché les rênes de son cheval mais il a laissé tomber le sac contenant l'argent, et quand il s'est baissé pour le ramasser, les rênes lui ont glissé des mains. A ce moment-là, un coup de feu a retenti dans la banque. Le grand rouan a décampé et Josey, au lieu de poursuivre le cheval, s'est accroupi près du sac et, un colt 44 dans chaque main, il s'est mis à tirer dans la banque sans s'arrêter. Il serait mort s'il avait réagi comme un criminel en courant et en sauvant son butin, et non

---

1. *Carpet-baggers* : terme péjoratif désignant les politiciens et les aventuriers nordistes qui après la guerre de Sécession ont tenté de prendre avantage de la défaite du Sud. *(N.d.T.)*

comme un guérillero en se retournant contre les ennemis qu'il haïssait.

Les gens sortaient des magasins et des uniformes bleus sortaient du tribunal. Jamie a tourné son cheval et a redescendu la rue ventre à terre. Il a saisi les rênes du rouan et tandis que Josey dirigeait ses colts vers la foule qui se dispersait, il a calmement conduit le rouan vers la silhouette solitaire.

Josey a rangé ses pistolets, il a ramassé le sac et a sauté en selle comme un Indien, puis il s'est élancé au grand galop. Les chevaux ont descendu côte à côte la rue par laquelle ils étaient arrivés et ont foncé droit sur les uniformes bleus. Les soldats se sont écartés mais quand les chevaux se sont approchés d'un bois qui était juste en face, les soldats à genoux ont ouvert le feu avec des carabines. Josey a entendu le claquement sourd de la balle et a approché le grand rouan de Jamie, sinon le garçon serait tombé de sa selle.

Josey a ralenti les chevaux en tenant le bras gauche de Jamie quand ils sont entrés dans les fourrés près du Missouri. Josey a tourné vers le nord-est puis il a mis les chevaux au pas sous les saules épais et finalement les a arrêtés. Il pouvait entendre au loin des hommes qui criaient ici et là en essayant de traverser les fourrés.

Jamie Burns était grièvement blessé. Josey descendit de cheval et souleva la veste du garçon. L'énorme balle de fusil lui était entrée dans le dos tout près de la colonne vertébrale et était ressortie en bas de la poitrine. Du sang noir avait séché sur le pantalon et sur la selle, et du sang plus clair continuait à couler de la

27

blessure. Jamie s'agrippait au pommeau des deux mains.

« C'est grave, hein, Josey ? » demanda-t-il avec un calme surprenant.

Josey répondit d'un rapide signe de tête et sortit des fontes de Jamie deux chemises qu'il déchira. Il fit rapidement d'épaisses compresses qu'il plaça sur les blessures, devant et derrière, puis il serra les bandes autour du corps du garçon. Quand Josey eut fini, Jamie le regarda de sous son chapeau aux bords rabattus.

« J' tomb'rai pas d' cheval, Josey. J' peux y arriver. On a déjà vu des tas d' types y arriver, s' pas, Josey ? »

Josey posa la main sur les mains serrées du garçon. Il fit cela durement mais Jamie comprit l'intention. « Pour sûr, Jamie », dit Josey en le regardant droit dans les yeux. « On y arrivera. »

Josey entendit des bruits de chevaux sous les saules et il sauta en selle. Il se retourna et dit calmement à Jamie :

« Accroche-toi et laisse la p'tite jument me suivre.

— Jusqu'où ? » murmura Jamie.

Pour une fois, le visage balafré du hors-la-loi s'éclaira d'un sourire.

« On va où vont tous les vrais maquisards, là où on nous attend pas », répondit Josey d'une voix traînante. « On se replie sur Lexington, naturellement. »

L'obscurité tomba rapidement quand ils sortirent des fourrés. Josey suivit pendant quelques centaines de mètres la piste par laquelle ils avaient quitté la ville puis il obliqua de telle façon qu'on pouvait croire qu'ils se dirigeaient vers Lexington alors qu'ils allaient légèrement au nord. Il ne mit pas les chevaux au trot mais les laissa toujours au pas. Les cris des hommes près du fleuve ont diminué et finalement se sont perdus au loin.

Josey savait que le détachement de la milice et de la cavalerie recherchait l'endroit où ils avaient traversé le Missouri. Il retint son cheval pour le mettre à la hauteur de la jument. Jamie avait la bouche tordue par la douleur, mais il semblait bien se tenir en selle.

« La patrouille s'imagine qu'on va à Clay County, dit Josey, là où Dingus et Frank sont en train d' traîner. »

Jamie essaya de parler mais la douleur lui coupa le souffle et lui arracha un léger cri. Il secoua la tête pour montrer qu'il avait compris.

Tout en avançant, Josey rechargea ses colts et vérifia les deux pistolets qui étaient dans ses fontes. Les rapides coups d'œil qu'il jetait par-dessus son épaule trahissaient son anxiété pour Jamie. A un moment, avec le sang-froid extraordinaire d'un guérillero endurci, il retint les chevaux sur une butte boisée pendant qu'une vingtaine de miliciens remontaient leurs traces vers le fleuve. Tandis que les chevaux galopaient à moins de cinquante mètres de leur cachette, Josey descendit de son cheval et rajusta les pansements sous la chemise de Jamie.

« Regarde-moi, dit-il. Si tu regardes vers eux, ils peuvent te sentir. »

Il y avait du sang séché sur les pansements et

Josey grogna de satisfaction. « Ça va, Jamie. Ça saigne plus. »

Josey remonta en selle et claqua la langue pour faire repartir les chevaux. Il se retourna pour dire à Jamie : « On va continuer jusqu'à c' qu'on soit sortis du Missouri. »

Sur leur droite, les lumières de Lexington ont disparu lentement derrière eux. A l'ouest de Lexington, il y avait Kansas City et Fort Leavenworth avec un fort contingent de soldats ; à Richmond, au nord, il y avait un détachement de cavalerie de la milice du Missouri ; et la cavalerie était encore plus importante à l'est, à Fayette et à Glasgow. Josey se dirigea vers le Sud. Jusqu'à la rivière Blackwater il n'y avait que des fermes isolées. Warrensburg était juste de l'autre côté de la rivière, mais ils devaient d'abord mettre une certaine distance entre eux et Lexington.

Josey prit sans hésiter la route de Warrensburg. Il tira la jument près de lui parce qu'il savait que Jamie s'affaiblissait, et il avait peur qu'il tombe de cheval. Les heures et les kilomètres se sont additionnés. Il était dangereux de voyager sur la route mais les chevaux n'y rencontraient aucun obstacle et ils étaient habitués aux longues marches forcées.

Quand une lumière grise commença à éclairer les nuages à l'est, Josey arrêta les chevaux. Il resta assis quelques instants à écouter. « Des cavaliers, dit-il brièvement. Ils sont derrière nous. » Il entraîna rapidement les chevaux hors de la route, et ils avaient à peine atteint les buissons épais qu'un important groupe de cavaliers en bleu est passé. Jamie se tenait droit sur sa selle et les regardait avec des yeux fiévreux.

Les rides de son visage montraient que seule la douleur l'avait tenu éveillé.

« Josey, ces types, on croirait qu' c'est l' deuxième de caval'rie du Colorado.

— T' as d' bons yeux », dit Josey d'une voix traînante. « C'est des bons soldats, mais i' r'trouv'raient pas une portée d' cochons dans une cuisine. » Tout en parlant, il observait le visage du garçon et il fut récompensé par un léger sourire. « Mais, ajouta-t-il, on va quitter la route au cas où i' z'en s'raient capables. Les arbres, là-bas, c'est la Blackwater. On va s' reposer. »

Josey tourna les chevaux en parlant. Il avait caché la gravité de leur situation au garçon avec une plaisanterie. A la lumière, la faiblesse de Jamie apparaissait au premier coup d'œil. Il devait se reposer, sinon plus. Les chevaux étaient trop fatigués pour courir en cas de poursuite, et l'arrivée des soldats venant du nord signifiait que l'alarme allait se répandre au sud. Josey pensa se diriger vers les Nations indiennes. Il avait raison.

4

Les abords de la Blackwater, couverts de riches forêts, leur offrirent un refuge bienvenu après la plaine dégagée. Josey trouva un ruisseau peu profond qui descendait vers la rivière et il y fit descendre les chevaux qui avaient de l'eau à mi-jambes. A une cinquantaine de mètres des eaux paresseuses de la Blackwater, il fit remonter les chevaux sur la berge du ruisseau et ils entrèrent dans des sumacs épais jusqu'à ce qu'il trouve une petite clairière fermée par des talus plantés d'ormes et de gommiers. Il aida Jamie à descendre de sa selle, mais le garçon s'effondra. Josey le porta dans ses bras à un endroit où le talus surplombait la clairière. Il étala des couvertures et y étendit Jamie. Il dessella les chevaux et les attacha avec des longes sur l'herbe abondante du ravin marécageux. Quand il revint, Jamie dormait, le visage enfiévré.

Jamie se réveilla à midi. La douleur le traversait par vagues qui lui déchiraient la poitrine. Il vit Josey accroupi au-dessus d'un petit feu ; il l'alimentait d'une main et de l'autre tenait une gamelle sur la flamme. En le voyant réveillé,

Josey s'approcha avec la gamelle puis il prit la tête du garçon dans ses bras et l'aida à boire. « Un petit remontant du Tennessee contre les balles, Jamie », dit-il.

Jamie avala et toussa. « On dirait qu' t'as fait ça avec des balles », et il essaya de sourire.

Josey lui fit encore couler du liquide chaud dans la gorge. « D' la racine de sassafras avec un peu de lard... On a pas d' bœuf », dit-il en lui reposant la tête sur la couverture. « Là-bas, dans l' Tennessee, dès qu'y avait une égratignure, grand-mère commençait par faire du remontant. Al' m'envoyait dans les ravins déterrer des racines de sassafras. J'ai ben dû en déterrer assez pour retourner toute la terre dans le comté de Carter. Une fois, p'pa avait des quintes de toux à en crever. Tout l' monde disait qu'il avait une congestion. Grand-mère, al' y a donné du r'montant tous les matins. Pis une nuit, dans une quinte, p'pa, il a r'craché une balle de fusil et l' lendemain matin, il était comme un verrat qui poursuit une truie. Grand-mère a dit qu' c'était le r'montant. »

Jamie avait les yeux fermés et respirait d'un rythme lourd et irrégulier. Josey replaça la tête aux cheveux blonds en broussaille sur la couverture. Puis il remarqua pour la première fois les longs cils comme ceux d'une fille et le visage lisse.

« Mon Dieu, du roc et du sable », murmurat-il. D'une main rude il lui caressa les cheveux emmêlés mais son geste était tendre. Josey s'assit sur les talons et regarda dans la gamelle. Il fronça les sourcils. Le liquide était rose, du sang, du sang des poumons.

Josey regardait les chevaux qui broutaient,

sans les voir. Il pensait à Jamie. Il avait vu trop souvent, dans les fuites innombrables, des hommes étouffés par leur propre sang venant d'une blessure aux poumons. L'aide la plus proche était dans les Nations indiennes. Il avait traversé plusieurs fois le pays des Cherokees en allant ou en revenant du Texas. Une fois, il avait rencontré Stand Watie, le général de la confédération cherokee. Il connaissait bien de nombreux guerriers et, une fois, il les avait accompagnés comme éclaireur pour la cavalerie du général Jo Shelby, au nord, sur la frontière du Kansas. Le couteau à manche d'os qui dépassait de sa botte gauche lui avait été donné par un Cherokee. Il faisait confiance aux Cherokees et à leur médecine.

Il avait entendu dire que les soldats de l'Union étaient dans le territoire cherokee à cause de leurs liens avec les Confédérés, cependant il savait qu'on ne déplacerait pas facilement l'Indien et qu'il contrôlait encore la plus grande partie du territoire. Il fallait conduire Jamie aux Cherokees. Il n'y avait pas d'autre aide à attendre. Josey déplia dans son esprit la carte de ce pays qu'il connaissait si bien. Entre lui et la Grand River, il y avait soixante miles de prairie accidentée. Au-delà de la Grand River se trouvait le refuge des Ozark qu'on pouvait contourner mais qu'on avait toujours sous la main pour se mettre à l'abri, jusqu'à la frontière avec les Nations indiennes.

Des nuages cachaient le soleil. Là où il avait fait chaud, un vent cinglant du nord avait apporté le froid. Josey hésitait à réveiller le garçon qui dormait toujours. Il décida d'attendre une heure de plus pour se rapprocher de la tombée de la nuit. La clairière était agréable. On entendait au loin le léger murmure du ruisseau. Un pic-vert à tête rouge martelait un orme et des roitelets pépiaient en picorant des graines dans le ravin.

Josey se leva et s'étira les bras. Il s'agenouilla pour replacer la couverture autour de Jamie et soudain le silence l'avertit et un frisson le parcourut. Les roitelets s'envolèrent dans un nuage brun. Le pic-vert disparut derrière l'orme. Sa main descendit vers son pistolet tandis qu'il levait la tête vers le talus opposé et son regard tomba sur les canons des fusils que tenaient deux hommes barbus.

« Tu bouges pas, cousin », dit le plus grand. Il épaulait et visait. « Sors ton vieux pistolet. »

Josey continua à les regarder mais ne bougea pas. Ils portaient tous deux des salopettes crasseuses et des vestes indéfinissables. Le plus grand avait un regard borné et brûlant et fixait Josey derrière le canon du fusil. Le plus petit tenait son arme avec moins de dureté.

« C'est bien lui, Abe, dit le plus petit. C'est Josey Wales. J' l'ai vu à Lone Jack avec Bloody Bill. Avec ses pistolets, il est pire qu'un serpent à sonnettes et deux fois plus rapide.

— T'es un sacré mec, s' pas, Wales ? dit Abe d'un ton moqueur. Qu'est-ce qu'il a çui-là, qu'est couché ? »

Josey ne répondit pas mais continua à les fixer. Il regardait le foulard rouge autour du cou d'Abe que le vent agitait.

« Ecoutez bien, monsieur Wales, dit Abe. Vous allez mett'e vos mains su' vot' tête et vous allez vous mett'e debout d'vant nous. »

Josey joignit les mains sur son chapeau, se

leva lentement et se mit debout devant les deux hommes. Son genou droit tremblait légèrement.

« Fais gaffe, Abe », cria à moitié le plus petit. « Je l'ai vu...

— Ferme-la, Lige, dit durement Abe. Maintenant, monsieur Wales, j' f'rais aussi bien d' vous descendre tout d' suite, pa'ce que ça va être p'us difficile d' vous ramener là où on touch'ra la prime. Avec vot' main gauche, vous allez déboucler vot' ceinture. Allez-y douc'ment, que j' puisse voir les poils de vot' main. »

Tandis que Josey descendait lentement la main vers la boucle de sa ceinture, il déplaça imperceptiblement son épaule gauche sous sa veste de daim. Le mouvement fit se pencher en avant le colt de marine placé sous son bras. La ceinture tomba. A l'angle de son œil, Josey pouvait voir Jamie qui dormait toujours sous sa couverture.

Abe soupira, soulagé. « Tu vois, Lige, quand tu y arraches les dents, c'est docile comme un chien d' chasse. J'ai toujours voulu me r'trouver en face d'un d' ces as du pistolet dont on fait tant d'histoires. Tout est dans la manière. Maint'nant, tu peux dire à Benny de v'nir avec le ch'val. »

Lige se tourna à moitié en continuant à regarder Josey. Il plaça sa main libre devant sa bouche : « Benny ! Viens... On les a ! » On entendit un cheval qui s'approchait sous les arbres.

Avec son instinct de combattant, Josey sentit le relâchement. Il calcula froidement ses chances. Le premier moment de tension était passé. Ses adversaires s'étaient relâchés ; un troisième homme s'approchait et cela créait une légère

37

distraction, mais il lui en fallait une autre avant son arrivée. Il parla pour la première fois et si soudainement que Abe sursauta : « Ecoutez, monsieur, dit-il d'un ton à moitié plaintif. Y a d' l'or dans les fontes... Il descendit tranquillement sa main droite pour montrer les selles... et vous pouvez... »

A la moitié de la phrase, il se laissa rouler avec la rapidité d'un chat. Le colt de marine était déjà dans sa main droite tandis que son corps sautait en bas du talus. La balle de fusil s'enfonça dans le sol là où il se trouvait quelques secondes auparavant. C'est le seul coup de feu qu'a tiré Abe. Le colt de marine crachait des flammes sur une cible qui roulait pour éviter les balles. Une, deux, trois fois, plus vite qu'on ne pouvait compter, Josey leva le percuteur. Le bruit emplissait la clairière. Abe s'effondra en avant, en bas du talus. Lige recula en titubant jusqu'à un arbre et s'assit. Une fontaine de sang lui jaillissait de la poitrine. Il n'avait pas eu le temps de tirer un coup de feu.

Josey se remit sur ses pieds, il remonta le talus et fila dans le sous-bois ; mais le cavalier effrayé s'était enfui. Josey revint et retourna le corps d'Abe. Il remarqua avec satisfaction les deux trous bien nets faits par le colt de marine, à moins d'un pouce l'un de l'autre, au milieu de la poitrine d'Abe. Lige était assis contre l'arbre, le visage figé dans une expression de surprise. Son œil droit regardait fixement le sommet de l'arbre et là où avait été son œil gauche, il y avait un creux rond et sanglant.

« J'ai visé un p'tit peu haut », grogna Josey, puis il remarqua un trou béant dans la poitrine de Lige. Il se détourna. A mi-pente du talus opposé, Jamie était allongé sur le ventre, un colt 44 dans la main droite. Il sourit faiblement en direction de Josey.

« Je savais qu' tu tir'rais d'abord su' l' grand, Josey. J' t'ai devancé d'un ch'veu sur l'autre. »

Josey traversa la clairière et regarda le garçon. « S'ils t'avaient fait d'aut' trous, j' te donn'rais une raclée avec un fouet d' charrue !

— I' z'ont pas pu, Josey, pas vrai ? » Jamie essaya de se lever mais ses genoux flanchèrent. Il s'assit. Josey alla jusqu'aux selles et en ramena un petit sac qu'il tendit à Jamie.

« Mâche ça pendant que j' selle les ch'vaux, ordonna-t-il. Il faut qu'on fasse du ch'min, p'tit. Le type qui s'est tiré, i' changera pas d' chemise avant d' nous avoir mis une meute aux trousses. » Josey allait et venait en parlant, serrant les selles, inspectant les chevaux, ramassant sa ceinture et rechargeant le colt de marine.

« On a près de cinquante miles à faire pour la South Grand. C'est du terrain découvert, avec à peine un ravin tous les dix miles pour cacher un ch'val. Les types du Colorado vont au sud où ils répandent la nouvelle et où i' envoient tous les types après la récompense. Maintenant, dit-il d'un ton sinistre, i' sont sûrs qu'on va vers le sud. »

Jamie eut une quinte de toux quand Josey le mit en selle, et Josey regarda inquiet le sang qui colorait ses lèvres. Il monta à cheval à côté du garçon.

« Tu sais, Jamie, dit-il, j' connais un type qui vit dans une cabane au confluent de la Grand et de l'Osage. Tu y s'ras en sûreté et tu pourras t'y reposer un peu. J' pourrai r'venir et...

— J' suis pas d'accord », l'interrompit Jamie. Sa voix était faible mais résolue.

« Espèce d'idiot, s'exclama Josey. J' vais pas t' traîner dans toute la création pendant qu' tu perdras ton sang dans la moitié du Missouri. J'ai mieux à faire... » La voix de Josey s'éteignit. Il avait trop laissé voir son anxiété.

Jamie savait. « C'est la fin du rouleau, dit-il faiblement. J' continue, droit au Texas. »

Josey saisit les rênes de la jument et fit partir les montures en direction de la rivière. En passant devant le corps étalé de Abe, Jamie dit : « J'aurais aimé qu'on ait le temps de les enterrer.

— Qu'i' z'aillent au diable ! » grogna Josey. Il cracha un long jet de jus de tabac sur le visage de Abe. « Les vautours auront de quoi manger, les vers aussi. »

5

Ils descendirent la rivière en suivant la berge, au-delà de Warrensburg, puis ils traversèrent à un endroit peu profond où les chevaux avaient de l'eau au ventre. En sortant de la rivière, ils traversèrent pendant un demi-mile un fourré épais avant d'atteindre une futaie plus claire. C'était deux heures avant le coucher du soleil, et devant eux s'étendait la prairie dégagée brisée seulement par quelques collines. Sur leur droite, il y avait Warrensburg et la route Clinton qui s'en allait au sud; une route que maintenant ils ne pouvaient plus emprunter.

Josey tira les chevaux hors du refuge des derniers arbres. Il examina le ciel. La pluie les aurait aidés. Cela incitait toujours des groupes indisciplinés à se mettre à l'abri. Les nuages s'accumulaient, mais il n'y avait pas de promesse de pluie dans l'immédiat. Le vent du nord était plus fort, froid et cinglant, et courbait les hauts buissons sur la prairie.

Ils restèrent immobiles sur leurs selles. Josey observa un nuage de poussière au loin et le suivit du regard jusqu'à ce qu'il disparaisse... C'était le vent. Il examina les collines, en laissant à n'importe quels cavaliers qui auraient été cachés le temps d'apparaître. Il n'y avait aucun cavalier jusqu'à l'horizon. Josey détacha une couverture derrière sa selle et la plaça sur les épaules voûtées de Jamie. Il descendit le chapeau de cavalerie sur ses yeux.

« Allons-y », dit-il brièvement et il fit avancer le rouan. La petite jument suivit. Les chevaux étaient solides et reposés. Josey devait maintenir le rouan au pas pour que la jument aux pattes plus courtes ne se mette pas au trot.

Jamie poussa la jument à côté de Josey. « Ne ralentis pas à cause de moi, Josey », cria-t-il faiblement dans le vent. « J' peux galoper. »

Josey retint les chevaux. « J' ralentis pas à cause de toi, espèce de sauterelle à grosse tête, dit-il calmement. D'abord, si on galope, on va lever des nuages de poussière, ensuite y a assez de mecs au sud du Missouri qui sont à nos trousses pour refaire une guerre, pis enfin si t'essaie d' courir au lieu d' penser, ce soir ils nous pendent au bout d'une corde. On va essayer de passer. »

Au bout d'une demi-heure ils arrivèrent à un ruisseau profond qui coupait leur route et s'en allait au sud. Des fourrés épais et des cèdres rabougris offraient un bon abri, mais Josey fit traverser les chevaux et repartit dans la prairie. « Ils vont passer tout ça au peigne fin, et pendant ce temps-là ils n'iront pas dans notre direction », remarqua-t-il sèchement.

Une centaine de mètres plus loin, il arrêta les chevaux. Il mit pied à terre et arracha un buisson puis il remonta les traces jusqu'au ruisseau. Puis, avec le soin d'une maîtresse de maison, il revint sur ses pas en effaçant les marques des sabots des chevaux dans le sol meuble. « Si ils trouvent notre piste et si ils sont assez bêtes, ils peuvent perdre deux heures là-dedans », dit-il à Jamie en faisant repartir les chevaux.

Pendant une autre heure, ils continuèrent droit au sud. Jamie ne levait plus la tête pour scruter l'horizon. Les cahots et la douleur emplissaient son corps. Il sentait l'odeur de sa chair à travers le pansement. Les nuages descendaient plus lourds et plus sombres, et le vent apportait une odeur d'humidité. Le crépuscule recouvrait la prairie et les buissons balayés par le vent d'une lumière étrange qui faisait vivre le paysage.

Soudain Josey arrêta les chevaux. « Des cavaliers, dit-il brièvement. Ils arrivent derrière nous. » Jamie écouta mais n'entendit rien..., si, le bruit étouffé des sabots. Devant, à peut-être cinq ou six miles, il y avait un monticule avec des bois épais. Trop loin. Il n'y avait pas d'autre abri.

Josey mit pied à terre. « Une douzaine, peut-être plus, mais ils ne sont pas déployés... ils sont groupés et ils se dirigent vers les bois là-bas. »

Avec précaution, avec calme et sans hâte, il souleva Jamie de sa selle et l'assit jambes allongées sur le sol. Puis il conduisit le rouan près du garçon. Avec la main gauche il attrapa le nez du cheval et jeta la main droite par-dessus sa tête pour lui saisir l'oreille. Le cheval fit un violent soubresaut. Les genoux du rouan tremblèrent et fléchirent puis il roula sur le sol. Josey tendit la main vers Jamie et tira le garçon vers la tête du cheval. « Couche-toi en travers de l'encolure, Jamie, et tiens-lui le nez. »

Josey sauta sur ses pieds et saisit la tête de la jument. Mais elle regimba, en reculant et en bottant, et le souleva de terre. Elle roulait des yeux et, l'écume aux lèvres, elle faillit lui échapper. Il essaya d'attraper son couteau dans sa botte mais dut resserrer sa prise pour empêcher la jument de s'enfuir. Le grondement des sabots du détachement devenait de plus en plus fort. Dans un effort désespéré, Josey leva les pieds du sol. Puis toujours en tenant la tête de la jument, il ferma ses jambes autour de l'encolure et pesa de tout son poids vers la tête. Le nez de la jument frotta le sable. Elle essaya de sauter, perdit son assise et tomba lourdement sur le côté.

Josey resta allongé comme il était tombé, les jambes enroulées autour de l'encolure de la jument et lui tenant la tête fermement contre sa poitrine. Il était tombé à moins d'un mètre de Jamie. Il pouvait voir son visage pâle et ses yeux fiévreux tandis qu'il était allongé sur l'encolure du rouan. Les sabots des chevaux de la patrouille faisaient trembler le sol.

« Tu m'entends, p'tit ? » murmura Josey d'une voix étouffée. Jamie lui répondit d'un signe.

« Ecoute-moi, écoute. Si tu me vois sauter sur mes pieds, tu restes allongé. Je prendrai la jument, mais tu restes au sol jusqu'à ce que tu entendes les coups de feu revenir vers la rivière. Alors, tu t'allongeras sur le rouan. Il se lèvera avec toi. Tu fonces au sud. Tu m'entends, p'tit ? »

Les yeux fiévreux le regardèrent à nouveau. Le petit visage restait obstinément immobile. Josey jura doucement pour lui-même.

Les cavaliers s'approchaient. Les chevaux étaient au petit galop et leurs sabots frappaient le sol en rythme. Maintenant Josey pouvait entendre le craquement des selles de cuir et il vit la silhouette indistincte des cavaliers. Ils passèrent à moins d'une douzaine de mètres des chevaux allongés. Josey pouvait voir leurs chapeaux, leurs épaules, qui se découpaient sur l'horizon plus clair.

Jamie toussa. Josey le regarda puis dégagea la lanière d'un colt qu'il tint par-dessus la tête de la jument. Du sang coulait de la bouche de Jamie, et Josey le vit se soulever pour tousser à nouveau. Puis il le vit baisser la tête ; il mordait le cou du rouan. L'arrivée des cavaliers semblait durer une éternité. Du sang perlait au nez de Jamie tandis que son corps se soulevait pour respirer.

« Détends-toi, Jamie, murmura Josey. Détends-toi, imbécile, ou tu vas mourir. » Mais le garçon tint bon. Les derniers cavaliers disparurent et le bruit des sabots s'éloigna. Josey s'allongea de tout son long et donna un violent coup sur la tête de Jamie. Le garçon roula sur le côté et sa poitrine s'emplit d'air. Il était inconscient.

Josey se leva et la jument se redressa, la tête baissée et tremblante. Il tira Jamie de sur le rouan, et le grand cheval se dressa, s'ébroua et se secoua. Josey se pencha sur le garçon et lui essuya le sang qui coulait sur son visage et son cou. Il souleva sa chemise et vit une horrible masse de chair décolorée qui dépassait du pansement. Il défit le bandage, prit sa gourde et passa de l'eau fraîche sur le visage de Jamie.

Le garçon ouvrit les yeux. Il sourit à Josey et

murmura les dents serrées : « On les a encore semés, hein, Josey ?

— Ouais, dit doucement Josey, on les a encore semés. »

Il roula une couverture et la plaça sous la tête de Jamie et se dressa face au sud. La patrouille avait disparu dans l'obscurité. Pourtant il surveillait. Après un long moment, des feux de camp qui vacillaient au sud-ouest près des bois le récompensèrent. La patrouille campait pour la nuit.

S'il avait été seul, Josey serait retourné vers la Blackwater et au matin la patrouille aurait continué au sud. Mais Josey avait déjà vu la gangrène se déclarer chez des blessés. Ça ne pardonnait pas. Il évalua que la cabane-medicine des Cherokees était à une centaine de miles.

Jamie s'assit et Josey le souleva pour le reposer sur la jument. Ils continuèrent vers le sud, et dépassèrent les feux de camp de la patrouille sur leur droite.

Malgré les nuages qui couvraient le ciel, Josey estima qu'il était minuit et arrêta les chevaux. Jamie était toujours conscient mais il se balançait dans la selle, et Josey lui attacha les pieds dans les étriers et passa la corde sous le ventre de la jument.

« Jamie, dit-il, ta jument va l'amble. C'est presque aussi doux que le pas. Ça nous fera gagner du temps. Est-ce que tu vas y arriver, p'tit ?

— J'y arriverai. » La voix était faible mais assurée. Josey mit le rouan au petit galop et la jument le suivit. Le paysage ondulant de la prairie changea lentement. Ici et là, on pouvait voir de petites buttes avec des bouquets d'arbres. Ils atteignirent la Grand River avant l'aube. Ils descendirent la berge à la recherche d'un gué et Josey découvrit une piste fréquentée pour traverser, puis ils continuèrent en terrain découvert vers l'Osage.

Ils en atteignirent les berges à midi. Josey nourrit les chevaux avec le maïs des fontes de Jamie. Au sud et à l'est ils pouvaient voir les premières collines des Ozark Mountains avec d'innombrables ravins et corniches qui de tout temps avaient servi aux hors-la-loi en fuite. Ils étaient tout près, mais l'Osage était trop profond et trop large.

Josey fit chauffer du bouillon sur un petit feu pour Jamie. Lui-même avala du porc salé à moitié cuit et des pains de maïs. Jamie s'allongea sur le sol ; le bouillon lui avait redonné des couleurs.

« Comment est-ce qu'on va traverser, Josey ?

— Il y a un bac, cinq miles plus bas, à Osceola », répondit Josey en ressellant les chevaux.

« Mais comment qu'on va faire pour traverser sur un bac ? » demanda Jamie incrédule.

Josey hissa le garçon dans sa selle. « Eh ben, dit-il d'une voix traînante, on va monter dessus et traverser, j' crois bien. »

Une énorme futaie sous laquelle s'entremêlaient des plaqueminiers et des cèdres nains les protégeait. Le bac était attaché près de la berge. En retrait de la rivière, il y avait deux constructions de bois, l'une d'elles semblait être une boutique. Josey pouvait voir la route Clinton qui serpentait au nord pendant un demi-mile et qui disparaissait derrière une montée avant de réapparaître au loin.

De la fumée s'élevait des cheminées du magasin et de la maison, mais il n'y avait aucun signe de vie à part un vieil homme assis sur un tronc d'arbre près du bac. Josey l'observa. Il tressait une bourriche de fil de fer. Il ne cessait de lever les yeux pour regarder derrière lui vers la Clinton Road.

« Le vieux a l'air nerveux, murmura Josey, et ce serait un bon endroit. »

Jamie affalé sur la jument à côté de lui, dit : « Bon à quoi... il y a quelque chose qui va pas ?

— J' donnerais bien un chariot à roues rouges pour voir c' qu'i' y a d' l'aut' côté des cabanes », dit Josey... puis : « Allons-y. » Avec l'audace acquise à la guérilla, il fit sortir son cheval des fourrés et se dirigea droit vers le vieil homme.

6

Depuis bientôt dix ans, le vieux Carstairs faisait marcher le bac. C'était à lui comme le magasin et la maison, achetés avec ses économies. Pendant des années, le vieux Carstairs avait marché sur une corde raide. Il avait fait passer les Pantalons rouges du Kansas, les guérilleros du Missouri, la cavalerie de l'Union ; une fois, il avait même fait traverser un groupe des célèbres cavaliers confédérés de Jo Shelby. Il pouvait siffler *Battle Hymn of the Republic* ou *Dixie* avec le même enthousiasme, tout dépendait de ceux qui l'accompagnaient. Pendant toutes ces années, le matin et le soir, il réprimandait sa femme : « Ceux de l'armée régulière sont pas si mauvais. Mais les Pantalons rouges et les guérilleros sont comme des chiens fous... Tu m'entends ! Des chiens fous ! I' vont tous nous tuer... nous brûler. »

Il avait survécu à force d'astuce. Une fois, il avait vu Quantrill, Jo Hardin et Frank James. Avec soixante-quinze guérilleros, ils portaient des uniformes yankees. Ils lui avaient demandé vers qui allaient ses sympathies, mais les yeux habiles du vieil homme avaient aperçu une

« chemise de guérillero » sous la veste ouverte d'un des hommes, et il avait maudit l'Union. Il n'avait jamais vu Bloody Bill ou Jesse James, ni Josey Wales et les hommes qui les accompagnaient, mais leur réputation avait dépassé celle de Quantrill au Missouri.

Rien que ce matin, il avait fait passer deux patrouilles de cavaliers qui recherchaient Wales et un autre hors-la-loi. Ils avaient dit qu'il était dans le coin et que tout le sud du Missouri était en armes. Trois mille dollars ! Un paquet de fric... mais ça le valait pour un tueur comme Wales.

La cavalerie allait revenir dans un moment. Carstairs regarda autour de lui. C'est alors qu'il vit les cavaliers qui s'approchaient. Ils étaient sortis des fourrés au bord de la rivière, quelque chose d'inquiétant en soi. Mais l'allure de l'homme de tête était encore plus inquiétante pour Carstairs. Il montait un énorme étalon rouan, à moitié sauvage. Il portait de hautes bottes, une veste de daim à franges et avait l'air d'un loup affamé. Il portait également deux colts 44 dans des étuis ouverts. Sous sa moustache, une barbe de trois jours lui recouvrait les joues, et au-dessus des yeux noirs les plus farouches qu'il ait vus, il avait un chapeau gris de cavalerie. Le vieil homme frissonna comme s'il avait froid et resta assis, pétrifié, la bourriche au bout du bras... comme s'il offrait un cadeau.

« Salut », dit calmement le cavalier.

« Bon... salut », bredouilla Carstairs. Il restait immobile. Il observa, fasciné, le cavalier tirer un long poignard de sa botte, se couper une chique et se la mettre dans la bouche.

« J' m'étais dit qu'on allait vous donner un peu d' travail », dit le cavalier après avoir mâché.

« Oh ! Sûr, sûr. » Le vieux Carstairs se leva.

« Mais... » Le cavalier l'arrêta dans son mouvement. « Pour qu'i' y ait pas de malentendu, j' m'appelle Josey Wales, et voici mon partenaire. On est pressés, mais d'abord on a besoin de différentes choses.

— D'accord, monsieur Wales. » Carstairs se leva tout à fait. Ses lèvres tremblaient de façon incontrôlable et son sourire semblait tour à tour un ricanement et un éclat de rire. Il maudit intérieurement son tremblement. Il laissa tomber la bourriche et réussit à s'avancer vers le cheval en tendant la main. « Je m'appelle Carstairs, Sim Carstairs. J'ai entendu parler de vous, monsieur Wales. Bill Quantrill était un ami... un véritable ami, nous autres...

— C'est pas une visite de politesse, monsieur Carstairs, dit Josey sèchement. Qui est-ce qu'il y a ici ?

— Personne, répondit immédiatement Carstairs, à part la patronne dans la maison et Lemuel mon employé. Sa tête va pas très bien, monsieur Wales... Il est dans le magasin.

— Ecoute bien », dit Josey en lançant cinq pièces d'or aux pieds de Carstairs, « toi et moi, on va aller tranquillement jusqu'à la maison et jusqu'au magasin. Mais j'ai une espèce de crampe, aussi j' vais y aller à cheval. Quand on sera là-bas, t'iras pas à l'intérieur mais t'avanceras jusqu'à la porte et tu diras à madame qu'on veut des pansements *propres*... beaucoup. On a besoin d'une compresse bouillie pour une blessure par balle... et rapidement. »

Le vieil homme jeta un regard en coin à Josey qui lui fit signe et il ramassa vite les pièces d'or, puis il partit vers la maison en courant à moitié.

Josey se tourna vers Jamie : « Tu restes ici et tu surveilles le coin des bâtiments. » Il s'élança derrière le vieil homme. Il arrêta son cheval près de la cabane et écouta le vieil homme qui criait les instructions par la porte ouverte. Puis Carstairs se retourna. « Allons jusqu'au magasin, monsieur Carstairs. Dis à ton employé qu'on veut un demi-jambon, dix livres de bœuf séché et vingt de grain pour les chevaux. »

Carstairs revint avec les sacs et Josey venait juste de les attacher derrière sa selle, quand une petite femme aux cheveux blancs sortit de la maison. Elle avait la pipe à la bouche et tendit à Josey une taie d'oreiller propre remplie de pansements.

Josey fit avancer son cheval vers la maison et toucha le bord de son chapeau. « B'jour, m'dame », dit-il tranquillement, puis il prit la taie et lui mit deux pièces de vingt dollars dans sa main minuscule. « J' vous r'mercie, m'dame », dit-il.

Deux yeux bleus brillaient dans son visage ridé. Elle ôta la pipe de sa bouche. « Vous êtes Josey Wales, j' pense.

— Oui, m'dame. J' suis Josey Wales.

— Bien. » La vieille femme le regardait droit dans les yeux. « Les compresses, faut les attacher avec de la mousse et de la racine de moutarde. Mettez un peu d'eau d'ssus de temps en temps pour que ça reste humide. » Elle continua sans s'arrêter. « M'est avis qu' vous savez qu'i' vont pas vous lâcher avant d' vous avoir cloués su' la porte d'un' grange. »

Un léger sourire souleva la cicatrice sur le visage de Josey : « J'ai déjà entendu dire ça, m'dame. »

Il toucha le bord de son chapeau, fit tourner le rouan et suivit le vieil homme jusqu'au bac. Tandis qu'ils faisaient monter les chevaux à bord, il se retourna. Elle se tenait au même endroit et il pensa qu'elle lui avait fait un signe discret de la main, mais peut-être avait-elle ôté une mèche de cheveux de son visage.

Le vieux Carstairs eut l'audace de ronchonner tandis qu'il passait le câble de l'avant à l'arrière du bac. « D'habitude, Lem me donne un coup de main. C'est un sacré boulot pour un vieux comme moi. »

Mais il mit le bac en mouvement pour traverser la rivière. Au nord, des grondements de tonnerre roulaient dans le ciel couvert de nuages sombres. Quand le courant prit le bac, l'allure s'accéléra et, une demi-heure plus tard, Josey conduisait les chevaux sur la berge opposée et sous les arbres.

C'est Jamie qui les vit le premier. Son cri fit sursauter Carstairs appuyé à un poteau et Josey fit demi-tour. Jamie montrait du doigt l'autre côté de la rivière. Sur la berge qu'ils venaient de quitter, un important détachement de la cavalerie de l'Union avec des uniformes bleus se détachait sur l'horizon. Ils faisaient des gestes frénétiques.

Josey sourit largement. « J'aurais fait un bon chien d' chasse. »

Jamie éclata de rire, toussa et rit à nouveau. « On les a encore semés, Josey, dit-il joyeux. On les a encore semés. »

Carstairs ne partageait pas leur joie. Il

grimpa sur la berge en trébuchant vers Josey. « Ils me crient de revenir... il faut qu' j'y aille... J' peux pas rester là. » Un éclair brilla dans ses yeux. « Mais j' peux p't-êt' rester tant qu' vous êtes en vue... p't-êt' plus longtemps. J' dirai qu'y a que'qu' chose qui va pas. Vous les gars, tirez-vous, vite. »

Josey approuva de la tête et s'enfonça sous les arbres. Très vite les fourrés leur cachèrent la rivière. Josey arrêta les chevaux.

« I' va pas ret'nir le bac... il va faire passer la cavalerie », dit Jamie.

Josey regarda les nuages bas. « Je sais, dit-il, il veut une partie d' la récompense. » Il mit les chevaux en route... vers la rivière.

Carstairs avait déjà quitté la rive avec le bac. Il tirait le câble de toutes ses forces et s'avançait rapidement vers le courant. De l'autre côté de la rivière, un groupe d'uniformes bleus tiraient aussi sur le câble.

Josey mit pied à terre. Il sortit des fontes des sacs pour les chevaux, les remplit de grain et les attacha à la bouche des montures. Le grand rouan tapa du sabot de satisfaction. Jamie regardait le bac s'approcher de la rive opposée. Les cris des hommes leur parvinrent faiblement quand la moitié des cavaliers monta à bord.

« I' z'arrivent », dit Jamie.

Josey inspectait les sabots des chevaux qui mangeaient, en les levant les uns après les autres. « D'après les traces qu'il y avait d' l'aut' côté, j'avais évalué que quarante ou cinquante chevaux allaient traverser c' matin, dit-il, et i' sont là, d'vant nous. J' crois ben qu'on a besoin d' mett' un peu de distance et de temps entre eux et nous. »

54

Jamie regardait le bac qui s'avançait vers eux. Les soldats tiraient sur le câble. « J'ai l'impression qu'on va avoir besoin d'un peu d'espace derrière nous aussi », dit-il tristement.

Josey se redressa pour regarder. Le bac était presque au milieu de la rivière et le courant commença à pousser et à tendre le câble qui fit un angle. Josey tira sa carabine Sharps 56 du fourreau de la selle.

« Tiens Big Red », dit-il en tendant les rênes à Jamie.

Il visa longuement, puis... boum ! L'écho se répercuta de l'autre côté de la rivière. Toute activité cessa sur le bac. Les hommes restaient immobiles, pétrifiés. Le câble se détacha du poteau avec un sifflement. Pendant quelques instants, le bac resta au milieu de la rivière immobile. Puis lentement, il commença à descendre le courant. Il s'en allait de plus en plus vite avec son chargement d'hommes et de chevaux. Maintenant, il y avait des cris, les hommes se bousculaient d'un bout à l'autre du bac. Deux chevaux sautèrent par-dessus le rebord et se mirent à nager en cercle.

« Dieu tout-puissant ! » soupira Jamie.

La mêlée confuse d'hommes hurlant et de chevaux piaffant allait maintenant à la vitesse d'une locomotive, de plus en plus loin, puis elle disparut derrière les arbres dans une courbe de la rivière.

Josey sourit. « On appelle ça une promenade en bateau dans le Missouri. »

Ils laissèrent les chevaux finir le grain. De l'autre côté de la rivière, un groupe de cavaliers affolés partirent vers le sud en descendant la rivière.

A partir de l'Osage, Josey dirigea les chevaux vers le sud-ouest en suivant la Sac River. De l'autre côté, il y avait une prairie dégagée, mais à gauche ils avaient la présence rassurante des Ozark. En fin d'après-midi, ils aperçurent un important groupe de cavaliers qui se dirigeaient vers le sud-ouest, de l'autre côté de la rivière, et ils retinrent leurs chevaux jusqu'à ce que le roulement des sabots ait disparu au loin. Au nord de Stockton, ils traversèrent la Sac à gué et la nuit les surprit sur les berges du Horse Creek, au nord des Jericho Springs.

Josey dirigea les chevaux dans un ravin rempli de broussailles, au-dessus d'un torrent peu profond. Ils continuèrent pendant un mile, deux miles, ne s'arrêtant que lorsque le ravin se rétrécissait jusqu'à n'être plus qu'un étroit passage dans le flanc de la montagne. Au-dessus d'eux, dans les hauteurs, un vent violent secouait les arbres, mais en bas le calme n'était troublé que par le murmure de l'eau sur les rochers.

Des buissons et de la vigne sauvage encombraient l'étroite gorge. Des ormes, des chênes, des noyers blancs et des cèdres y poussaient à profusion. C'est sous l'abri d'un bouquet de cèdres touffus que Josey étala des couvertures et que Jamie s'endormit. Josey dessella les chevaux, les nourrit et les attacha près du torrent. Puis il creusa un « four de hors-la-loi » près de Jamie, un trou d'un pied de profondeur recouvert de pierres plates. A un mètre, on ne voyait pas de lumière, mais les pierres chaudes et les flammes ont rapidement fait cuire un morceau de porc et un bouillon.

Tandis qu'il s'activait, ses oreilles se sont accoutumées aux bruits nouveaux du ravin. Sans avoir besoin de regarder, il savait qu'il y avait un nid de cardinaux dans les plaqueminiers de l'autre côté du torrent ; un pic-vert doré frappait le tronc d'un orme et des roitelets pépiaient dans le sous-bois. En arrière, en haut du ravin, une chouette effraie poussait à intervalles réguliers ses gémissements angoissés de femme. Ces rythmes se sont installés en lui inconsciemment. Les plaintes du vent dans les hauteurs et le chuchotement de la brise dans les cèdres formaient la mélodie. Mais si le rythme se rompait, les oiseaux seraient ses sentinelles.

Il avait mangé et donné le bouillon à Jamie. Maintenant il faisait chauffer de l'eau et mouillait les compresses. Quand il ôta les pansements d'autour de Jamie, il vit que l'énorme trou était recouvert de chair violacée tirant au noir. La plaie était boursouflée de fongosités blanchâtres. Le garçon détournait les yeux de sa poitrine blessée et regardait fixement le visage de Josey.

« Ça va pas trop mal, s' pas, Josey ? » demanda-t-il calmement.

Josey nettoyait la plaie avec des morceaux de tissu humide. « C'est pas beau, dit-il sans mentir.

— Josey ?

— Ouais.

— Tout à l'heure, là-bas, sur la Grand... j'ai jamais vu tirer aussi vite. »

Josey ne répondit pas et plaça les compresses

puis il lui enroula le pansement autour du corps.

« Si j'y arrive pas, Josey, dit Jamie d'un ton hésitant, j' voudrais qu' tu saches que j' suis plus fier qu'un paon d'avoir été avec toi.

— T'es un vrai paon, p'tit, dit Josey ; maintenant tais-toi. »

Jamie sourit. Il ferma les yeux et rapidement l'ombre effaça les creux de ses joues. Quand il dormait, il était comme un enfant.

Josey sentit la fatigue s'abattre sur lui. En trois jours, il n'avait fait que de petits sommes sur sa selle. Ses yeux avaient commencé à lui jouer des tours, il avait vu des « loups gris » là où il n'y en avait pas, et il avait entendu des bruits qui n'existaient pas. Il était temps de se cacher. C'est une impression qu'il connaissait bien. En s'enroulant dans ses couvertures, en arrière dans les buissons, à l'écart de Jamie et des chevaux, il pensa au garçon, et il revit son enfance dans les montagnes du Tennessee.

Il y avait papa, maigre comme un homme des montagnes, assis sur une souche. « Ceux qui luttent pas, valent pas le sel de leur sueur, avait-il dit.

— M'est avis », avait répondu le petit Josey.

Puis il y avait aussi papa, posant une main sur son épaule quand il était adolescent et papa voulait pas laisser voir son émotion. Il avait tenu tête aux McCabes qui avaient le shérif avec eux. Papa l'avait regardé, dur et fier.

« Tu deviens un homme », avait dit papa. « Rappelle-toi toujours, sois fier de tes amis... mais quand tu te bats pour ceux qui sont comme ta famille, sois encore plus fier de tes ennemis. »

Josey somnolait... les ennemis... les amis... il s'endormit.

Des gouttes de pluie l'éveillèrent. De lourds nuages poussés par le vent obscurcissaient la lumière spectrale qui précède l'aube. Une légère brume rendait encore plus irréelle toute chose. Il faisait plus froid, et Josey pouvait le sentir à travers sa couverture. Dans les hauteurs le vent gémissait et secouait les cimes des arbres. Josey se dégagea de sa couverture. Les chevaux buvaient dans le torrent. Il leur donna à manger et ranima les braises dans le trou. Puis il s'agenouilla près de Jamie avec un bouillon chaud et le secoua. Il ouvrit les yeux mais ne sembla rien reconnaître.

« J'ai dit à papa, murmura-t-il doucement, que la p'tite génisse ferait la meilleure vache laitière de l'Arkansas. Au moins quinze litres. » Il s'arrêta et écouta attentivement et eut un petit rire étouffé. « M'est avis qu' c'est un roublard, papa... quitte pas la meute et prends la piste du renard. »

Il s'assit soudain violemment, les yeux effrayés. Josey lui posa une main rassurante sur l'épaule. « Papa a dit qu' c'était Jennison, m'man. Jennison ! Un sauvage ! » Puis aussi soudainement, il retomba sur les couvertures. Il était secoué de sanglots et de grosses larmes lui roulaient sur les joues. « M'man, dit-il de façon brutale, m'man. » Puis il resta immobile, les yeux clos.

Josey se pencha vers lui. Il savait que Jamie venait de l'Arkansas mais il n'avait jamais parlé avec lui des raisons qui l'avaient fait rejoindre la guérilla. Personne n'en parlait. Doc Jennison ! Josey savait qu'il avait mené des raids en Arkansas avec ses Pantalons rouges et il avait pillé et brûlé tellement de fermes qu'on avait appelé les cheminées solitaires qui restaient après les incendies, les « monuments de Jennison ». Josey sentit la haine monter en lui.

Le cauchemar était passé et il souleva la tête de Jamie pour lui donner du bouillon, mais quand il le hissa en selle, il s'aperçut qu'il s'était affaibli. Il lui attacha à nouveau les pieds dans les étriers. Il évaluait à soixante miles la distance qui le séparait de la frontière avec les Nations indiennes et il savait que de plus en plus de soldats et de miliciens se regroupaient pour lui couper la retraite.

« M'est avis qu'i' doivent me prendre pour un dingue », murmura Josey, tandis qu'ils avançaient, « de pas avoir pris par les collines. » Mais les collines auraient signifié une mort certaine pour Jamie. Il y avait une petite chance avec les Cherokees.

Son code simple de loyauté lui interdisait de penser à sa sécurité en sacrifiant un ami. Il aurait pu entrer dans les montagnes en se disant qu'il était impossible de trouver de l'aide pour le garçon et lui-même aurait été en sûreté. Pour des hommes à la morale plus souple cela aurait été suffisant. Mais le hors-la-loi ne s'était même pas posé la question. En comparaison avec leur ruse et leur habileté de guérilleros, des tacticiens auraient considéré ce code comme la marque de la plus grande faiblesse humaine. Mais d'un autre côté, cela s'accordait avec leur ardeur au combat et leur générosité qui les amenaient à « attaquer l'enfer avec un baquet d'eau », comme disaient les rapports de l'armée.

En l'occurrence, la faiblesse de Josey était évidente. L'armée de l'Union et les milices savaient que son compagnon était grièvement blessé. Ils savaient qu'il ne pourrait pas le soigner ailleurs que dans les Nations indiennes. Sa supériorité au pistolet, la ruse acquise dans des centaines de combats, sa témérité et son audace de guérillero, lui avaient permis de traverser avec Jamie un pays en état d'alerte, mais ils connaissaient aussi le code de ce dur combattant. S'ils ne pouvaient pas deviner l'esprit et les ruses du loup, ils connaissaient son instinct. Et c'est pourquoi les cavaliers se dirigeaient vers la frontière à sa rencontre. Ils connaissaient Josey Wales.

7

L'aube glaciale les surprit tandis qu'ils traversaient une prairie dégagée, avec les montagnes sur leur gauche. Ils traversèrent à gué le
Horse Creek avant midi et continuèrent au sud-
ouest. Ils se tenaient près des crêtes boisées
mais Josey maintenait les chevaux en terrain
dégagé et dangereux. L'ennemi de Jamie Burns
était le temps. Peu après midi, Josey laissa les
chevaux se reposer dans un bois épais. Il mit des
tranches de bœuf séché dans la bouche de Jamie
et lui dit d'un ton bourru : « Mâche ça, mais
avale que le jus. »

Le garçon fit un signe de tête mais ne dit rien.
Son visage et son cou commençaient à enfler. Ils
virent un nuage de poussière soulevé par de
nombreux chevaux, mais ils ne distinguèrent
pas les cavaliers.

En fin d'après-midi, après avoir traversé à
gué la Dry Fork, ils parcouraient au petit galop
la prairie. Josey s'arrêta et indiqua quelque
chose derrière eux. C'était un important détachement de cavalerie. Les soldats étaient à
plusieurs miles mais apparemment ils semblaient avoir repéré les fugitifs, parce que,

tandis que Josey et Jamie les observaient, ils mirent leurs chevaux au galop. Josey aurait pu facilement trouver refuge dans les montagnes qui étaient à moins d'un mile sur leur gauche, mais cela aurait signifié une progression lente et pénible, bien plus difficile que les cinq miles de prairie qu'ils avaient devant eux. Au loin, un éperon rocheux coupait la prairie.

« On va foncer vers la montagne devant nous », dit Josey. Il approcha son cheval de Jamie. « Maintenant, écoute bien. Ces types sont pas encore sûrs que c'est nous. Je vais leur dire. Quand je leur tir'rai d'ssus, laisse la jument partir au galop, mais tu la retiendras aussitôt. Quand tu m'entendras tirer une deuxième fois, tu la laisseras aller. T'as compris ? » Jamie fit un signe de tête. « J' veux les faire courir, ces soldats », ajouta Josey en souriant tandis qu'il sortait sa carabine Sharps de son fourreau.

Il tira sans viser. L'écho renvoya le son de la montagne. L'effet sur les cavaliers fut immédiat. Ils levèrent leurs armes et s'élancèrent ventre à terre. La jument partit au petit galop et Josey se retrouva rapidement loin derrière. Le grand rouan était excité et voulait s'élancer, mais Josey le retint et le fit partir au trot.

Bientôt la petite jument fut à un mile de lui. Il commençait à entendre derrière le bruit des chevaux au galop. Il resta au trot. Le bruit des sabots s'amplifia ; il pouvait entendre maintenant les cris des hommes. Il tira son couteau de sa botte et se coupa avec soin une chique.

« Alors, Red, dit-il d'une voix traînante, t'as envie d'y'aller... » Il sortit son Colt et tira en l'air « ... maintenant, vas-y ! » Le rouan bondit.

Josey voyait devant lui la petite jument qui avait l'air de voler au-dessus du sol. Elle était rapide mais le rouan la rattrapait.

Il n'y avait pas de doute. Le grand cheval sautait au-dessus des ruisseaux sans rompre son rythme. Josey était penché sur sa selle et sentait la puissance du rouan qui comblait l'écart avec la jument. Il en était à une centaine de mètres quand elle atteignit les bois touffus. Josey ralentit le rouan pour se retourner et vit les cavaliers au pas à deux miles derrière. Leurs chevaux étaient épuisés.

Jamie s'était arrêté dans la forêt et quand Josey le rejoignit les énormes nuages crevèrent. Un rideau de pluie aveuglante fit disparaître la prairie derrière eux. Un éclair s'abattit sur la forêt suivi d'un roulement de tonnerre qui éveilla les échos dans la montagne. Josey sortit des imperméables attachés derrière les selles.

« Un bon temps pour les grenouilles », dit-il et il enveloppa Jamie dans un imperméable. Le garçon était conscient mais il avait le visage blanc et déformé et il se raidissait pour tenir en selle.

Josey attrapa le bras de Jamie : « Quinze miles, peut-être vingt, Jamie, et on se couchera dans une tente bien chauffée sur les bords de la Neosho. » Il secoua doucement le garçon. « On sera dans les Nations, encore vingt miles, et on nous aidera. »

Jamie fit un signe de la tête mais ne dit rien. Josey ôta les rênes des mains serrées qui s'accrochaient au pommeau de la selle et fit grimper la jument.

Les éclairs avaient cessé mais le vent poussait toujours la pluie. L'obscurité tomba rapidement mais Josey continua de diriger les chevaux avec l'assurance d'un habitué des montagnes. Les pistes étaient à peine visibles. Elles allaient droit dans la montagne et se perdaient dans des tracés cachés. Les pistes qu'il avait suivies avec Anderson étaient toujours là ; elles permettaient d'entrer et de sortir des Nations indiennes. Elles le conduiraient à travers le comté de Newton vers les bords de la rivière Neosho, hors du Missouri.

La température baissa. La pluie se calma et en marchant les chevaux exhalaient des jets de vapeur. Ce n'est qu'après minuit que Josey s'arrêta. Il vit les feux de camp en dessous, un demi-cercle comme un collier qui entourait la montagne et les séparait, Jamie et lui, de la Neosho à quelques miles de là.

On bougeait encore autour des feux. Accroupi sous les arbres, il pouvait voir de temps en temps une silhouette se détacher devant les flammes. Aussi il attendait. Derrière lui, le rouan tapait du pied mais la jument fatiguée gardait la tête baissée. Il n'osait pas descendre Jamie de sa selle. Il n'y avait que quelques miles pour les Nations indiennes et quelques miles supplémentaires pour la Neosho. La pluie avait presque cessé et le vent était plus froid.

Il observait patiemment tout en mâchant sa chique. Une heure passa, puis une autre. Toute activité avait cessé près des feux de camp. Josey se redressa et marcha jusqu'aux chevaux. Jamie était affaissé dans sa selle, le menton appuyé sur la poitrine. Josey lui prit le bras. « Jamie », mais dès que sa main le toucha, il sut. Jamie Burns était mort.

Cette mort lui fit l'effet d'un coup de poing,

ses genoux fléchirent et il trébucha. Il savait qu'ils réussiraient. La longue course, la lutte contre tous les obstacles, ils avaient réussi. Ils les avaient tous semés. Josey maudit le sort qui lui arrachait le garçon. Il mit les bras autour du corps de Jamie sur sa selle comme s'il voulait le réchauffer et le faire revenir à la vie, et il maudit Dieu jusqu'à ce que sa salive l'étouffe.

Il toussa et cela lui fit reprendre ses esprits. Il resta un long moment sans rien dire. Il pensait avec amertume à Jamie qui l'avait suivi avec une loyauté obstinée et qui était mort sans un murmure. Josey enleva son chapeau, s'approcha de la jument et enlaça la taille de Jamie. Il leva les yeux vers les arbres que courbait le vent. « Ce garçon, dit-il d'une voix maussade, est venu dans un temps de sang et de mort. Il n'a jamais posé de questions. Il ne s'est jamais détourné des siens. Il m'a accompagné et je n'ai rien à lui reprocher... » Il s'arrêta. « Amen. »

Puis, avec une résolution soudaine, il détacha les fontes de la jument et les fixa à sa propre selle. Il défit la ceinture des pistolets de Jamie et la suspendit au pommeau du rouan. Puis il enfourcha son cheval et tirant la jument avec le corps de Jamie toujours en selle il descendit vers les feux de camp. Au pied de la crête, il traversa un ruisseau peu profond et sur la berge opposée il ne se retrouva qu'à une cinquantaine de mètres du premier feu de camp. Les gardes n'étaient pas à cheval et marchaient lentement d'un feu à un autre.

Josey tira la jument vers le rouan. Il lui attacha les rênes au-dessus de l'encolure et les fixa dans les mains de Jamie, toujours accrochées au pommeau. Puis il approcha le rouan tout contre la jument jusqu'à ce que sa jambe touche celle de Jamie.

« Les Bleus te feront un plus bel enterrement que moi, p'tit », dit-il avec un sourire. « On a toujours dit qu'on allait dans les Nations indiennes, et ben, un de nous deux y arrivera. »

Il posa un Colt en travers de la croupe de la jument pour que la brûlure de la poudre la fasse s'enfuir. Il prit une grande respiration, rabattit son chapeau et fit feu.

La jument bondit sous la douleur et partit au galop vers le premier feu de camp. La réaction fut instantanée. Des hommes coururent vers les feux, sortirent de leurs couvertures, des questions s'élevèrent. Dès que la jument chargée du cadavre qui se balançait atteignit le premier feu, elle tourna et toujours au grand galop fila vers le sud en suivant la berge du ruisseau. Les hommes commencèrent à tirer, certains s'agenouillèrent pour viser puis se relevèrent pour courir à pied derrière la jument. D'autres sautèrent à cheval et disparurent le long du ruisseau.

Josey observait tout cela dans l'ombre. Il entendit d'autres coups de feu venant d'en bas et des cris de triomphe. Ce n'est qu'alors qu'il mit le rouan au pas pour sortir des arbres ; il traversa le camp désert et s'enfonça à nouveau dans l'ombre qui l'aiderait à sortir de ce Missouri de violence et de sang.

Et cette nuit, autour des feux de camp, les hommes raconteraient l'exploit. Et comme les autres histoires qu'on racontait sur Josey Wales, ils s'en serviraient pour démontrer la nature impitoyable du hors-la-loi. Les hommes des villes, qui ne connaissaient rien à tout cela, ricaneraient de dégoût pour cacher leur peur.

Les cow-boys, habitués à côtoyer la mort, fixeraient en souriant les feux de camp. Les guérilleros apprécieraient l'audace et l'obstination. Et les Indiens comprendraient.

Deuxième Partie

8

L'air froid avait fait s'élever un épais brouillard près de la Neosho. La pâle lumière de l'aube transformait en créature surnaturelle tout arbre et tout buisson. Il n'y avait pas de soleil.

Lone Watie entendait le bruit de la rivière comme si elle avait coulé juste derrière sa cabane. C'était un bruit familier et agréable, les martins-pêcheurs et les geais bleus ne cessaient de se quereller, un corbeau croassait... une fois... tout allait bien. Plutôt que de penser à tout cela, Lone Watie préféra se faire griller du poisson pour son petit déjeuner sur une petite flamme dans l'énorme cheminée.

Comme beaucoup de Cherokees, il était grand, au moins un mètre quatre-vingts, et portait des pantalons en peau de daim glissés dans ses bottes. Il semblait maigre dès le premier regard, sa veste de daim flottait autour de son corps, son visage osseux et émacié et ses joues creuses faisaient ressortir son nez en bec d'aigle qui séparait deux yeux noirs et profonds capables de s'éclairer d'une lumière cruelle. Il s'accroupit devant le feu pour retourner le poisson qui cuisait dans la poêle et de temps en temps il rejetait en arrière une de ses longues nattes brunes qui lui tombaient jusqu'aux épaules.

Le cri d'un engoulevent de nuit le fit se lever immédiatement. Ils ne chantent pas le jour. Il se déplaça en silence et avec souplesse. Il prit son fusil, se glissa par la porte arrière de l'unique pièce de la cabane, s'allongea par terre et rampa rapidement vers les buissons. Il entendit à nouveau l'appel de l'engoulevent de nuit.

Tout homme des montagnes sait que l'engoulevent de Virginie ne chante pas quand on entend l'engoulevent de nuit, et caché dans les buissons, Lone répondit avec le cri du premier.

Tout resta silencieux. Caché dans les buissons, Lone écoutait. Il n'était qu'à quelques mètres de la cabane et pourtant il la voyait à peine. Des sumacs et des chèvrefeuilles séchés recouvraient la cheminée et couraient sur le toit. Des buissons et des broussailles cachaient presque entièrement les murs. Ce qui autrefois avait été un sentier était entièrement recouvert. Il fallait connaître cette cachette inaccessible pour prévenir de son arrivée.

Le cheval jaillit des buissons sans qu'on s'y attende. Lone fut stupéfait par l'allure du grand rouan. Il avait l'air à moitié sauvage avec des naseaux frémissants et tandis que son cavalier l'attachait devant la porte de la cabane, il ne cessait de taper du pied. Lone observa l'homme qui descendait de cheval et qui de temps en temps tournait le dos à la cabane tout en débouclant la selle et en l'ôtant de sur le cheval.

Lone parcourut l'homme des yeux ; les énormes pistolets dans leurs étuis, le couteau dans la

74

botte, le renflement sous l'épaule gauche, rien ne lui échappa. Quand l'homme se retourna, il vit la cicatrice blanche sous la barbe de trois jours et il remarqua le chapeau gris de cavalerie tiré sur les yeux. Lone grogna de satisfaction : un combattant qui se conduisait comme un guerrier, avec audace et sans peur.

La veste de daim ouverte lui laissa voir quelque chose de plus et Lone sortit des buissons avec confiance et s'approcha de l'homme. C'était la chemise : une étoffe grossière, avec une ouverture en V qui s'achevait au-dessus de la taille par une cocarde. Une « chemise de guérillero », une de celles que les dépêches de l'armée U.S. indiquaient comme le seul moyen d'identifier un guérillero du Missouri. Fabriquées par les épouses, les fiancées et les sœurs, elles étaient devenues l'uniforme des guérilleros. Ils les portaient toujours, parfois en les cachant, mais ils les portaient. Beaucoup avaient des brodures de fantaisie et de vives couleurs..., celle-ci était couleur de noix et brodée de gris.

L'homme continua à flatter le cheval quand Lone s'approcha de lui et il ne se retourna que quand l'Indien s'arrêta silencieusement, à deux mètres.

« Salut », dit-il doucement et il tendit la main. « J' m'appelle Josey Wales.

— J'ai déjà entendu c' nom-là », dit seulement Lone en lui prenant la main. « J' m'appelle Lone Watie. »

Josey regarda l'Indien avec attention. « On a déjà été ensemble, avec ton parent, le général Stand Watie, on avait traversé l'Osage jusqu'au Kansas.

« — Je me souviens, dit Lone, c'était une belle bagarre. » Puis il ajouta : « Je vais mettre ton cheval avec le mien près de la rivière. Il y a du grain. »

Tandis qu'il emmenait le rouan, Josey souleva sa selle et entra dans la cabane. Le sol était de terre battue. Les seuls meubles étaient des lits de saule disposés le long des murs et recouverts de couvertures. A part les ustensiles de cuisine, il n'y avait rien d'autre, qu'une ceinture accrochée à un clou et portant un colt et un long poignard. L'inévitable chapeau gris de cavalerie était posé sur un lit.

Il se souvenait de la cabane. Après avoir passé l'hiver à Mineral Creek au Texas, avec Sherman, en 63, il était revenu par la piste et avait campé ici. On leur avait dit que c'était la ferme de Lone Watie mais il n'y avait personne ; pourtant on voyait bien que cela avait été une ferme.

Il connaissait l'histoire de la famille Watie. Ils vivaient dans les montagnes au nord de la Géorgie et de l'Alabama. Stand Watie était un chef important. Lone était son cousin. Dépossédés de leurs terres par le gouvernement américain dans les années 30, ils avaient parcouru la « Piste des larmes » avec la tribu Cherokee, vers les nouveaux territoires qu'on leur avait assignés dans les Nations. Près d'un tiers des Cherokees étaient morts sur la route et des milliers de tombes jalonnaient encore la piste.

Il avait connu les Cherokees quand il était enfant, dans les montagnes du Tennessee. Son père s'était lié d'amitié avec beaucoup d'entre eux qui s'étaient cachés pour ne pas s'en aller.

L'homme des montagnes n'avait pas cette « faim de terre » des gens des plaines qui

76

avaient soutenu l'action du gouvernement. Il préférait rester libre dans les montagnes, sans les entraves de la loi et loin de l'hypocrisie insupportable de la société organisée. Les gens des montagnes étaient plus près des Cherokees que de leurs frères de race, ceux des plaines qui s'efforçaient de mettre sur leur cou le joug de la société.

Avec les Cherokees, il avait appris à pêcher en plongeant la main dans les trous des torrents de montagne et en caressant le ventre des truites et des perches; il avait appris que le renard gris court en faisant des huit et le renard roux, des cercles. Il avait appris à suivre les abeilles jusqu'à la ruche et le miel, où placer les pièges pour prendre les cailles, et comme le daim est curieux.

Il avait mangé avec eux dans leurs cabanes et ils avaient apporté de la nourriture à sa famille. Ils avaient le même code de loyauté que l'homme des montagnes et Lone méritait donc sa confiance. Ils étaient de la même race.

Quand la guerre entre les Etats avait déferlé sur la Nation indienne, tout naturellement les Cherokees s'étaient rangés dans le camp des Confédérés contre un gouvernement qu'ils haïssaient parce qu'il leur avait pris leur patrie dans les montagnes. Certains avaient rejoint le général Cooper et quelques-uns étaient dans la brigade d'élite de Jo Shelby, mais la plupart avaient suivi leur chef, le général Stand Watie, le seul général indien de la Confédération.

Lone revint dans la cabane et s'accroupit devant le feu.

« Petit déjeuner », grogna-t-il en tendant la poêle à Josey. Ils mangèrent avec leurs mains tandis que l'Indien regardait tristement dans le feu. « On parle beaucoup dans les fermes. Ils disent que tu as semé la terreur dans le Missouri.

— C'est bien possible », dit Josey.

Lone saupoudra de la farine de maïs sur la pierre du foyer puis sortit deux poissons d'un sac. Il les roula dans la farine et les plaça au-dessus du feu.

« Où est-ce que tu vas ? demanda-t-il.

— Nulle part en particulier », dit Josey la bouche pleine de poisson, puis il ajouta, comme si c'était une explication : « Mon partenaire est mort. »

Pendant quelques jours il avait eu un endroit où aller. C'était devenu une obsession, sortir Jamie du Missouri et l'amener ici. La mort du garçon avait fait revenir le vide. Pendant la nuit, il s'était surpris à regarder derrière lui pour voir Jamie.

Lone Watie ne lui posa pas de questions sur son partenaire, mais il secoua la tête en signe de compréhension.

« L'an dernier, j'ai entendu dire que le général Jo Shelby et ses hommes avaient refusé de se rendre, dit Lone, qu'ils étaient partis au Mexique, il y a une espèce de guerre là-bas. J'ai rien entendu depuis, mais je crois qu'il y en a d'autres qui vont les rejoindre. » L'Indien parlait d'un ton égal mais il jeta un coup d'œil sur Josey pour voir sa réaction.

Josey était surpris. « J' savais pas qu'il y en

avait d'autres qui s'étaient pas rendus. J' suis jamais allé plus loin que Fannin County, au Texas. C'est loin, le Mexique. »

Lone poussa la poêle vers Josey. « Ça vaut l' coup d'y penser, dit-il. Les hommes comme nous, on est... c'est comme si personne voulait de nous.

— Ça vaut l' coup d'y penser », reconnut Josey et sans plus de cérémonie il s'approcha d'un lit et déboucla sa ceinture pour la première fois depuis de nombreux jours. Il s'allongea, plaça son chapeau sur son visage et s'endormit aussitôt. Lone reçut cette marque silencieuse de confiance comme une chose tout à fait naturelle.

Les jours et les semaines passèrent. Il n'était plus question du Mexique mais l'idée faisait son chemin dans la pensée de Josey. Il ne posa aucune question à Lone et l'Indien ne lui dit rien à son sujet mais il était évident qu'il se cachait.

Au fur et à mesure que l'hiver s'écoulait, Josey relâcha sa tension et s'amusa même à fabriquer des nasses ce qu'il faisait avec autant d'habileté que l'Indien. Ils les mettaient dans la rivière avec des boules de farine comme appât. La nourriture était abondante. En plus du poisson, ils mangeaient des cailles attrapées dans des pièges, des lapins, des dindes qu'ils préparaient avec de l'oignon sauvage, des choux, de l'ail et des herbes que Lone arrachait près de la rivière.

Il neigea dans les Nations indiennes, en janvier 1867. Une grande tempête de neige arriva du Cimarron, elle traversa le plateau central et recouvrit les flancs des Ozark. La misère s'abattit sur les Indiens des plaines, les Kiowas, les

Comanches, les Arapahos et les Pottawatomies. Ils avaient fini leurs réserves d'hiver et se rapprochèrent des colonies. De la neige était entassée sur quatre pieds de haut sur les bords de la Neosho, mais le bois flottant était abondant et la cabane confortable. La solitude rendait Josey nerveux. Il avait remarqué la pauvreté des provisions de Lone. Il n'y avait pas de munitions pour son pistolet ni de grain pour les chevaux.

Un soir qu'ils étaient assis silencieusement devant le feu, Josey mit une poignée de pièces d'or dans la main de Lone.

« De l'or yankee, dit-il laconiquement ; nous allons avoir besoin de grain, de munitions... »

Lone regardait les pièces d'or qui brillaient dans la lumière du feu et un sourire rapace courut sur ses lèvres.

« L'or de l'ennemi, comme son maïs, est toujours brillant. On risque de poser des questions dans la colonie, mais, ajouta-t-il songeur, si je leur dis que les soldats vont leur reprendre s'ils parlent... »

Le soleil dans un ciel lumineux apporta une chaleur inattendue pour la saison et la neige fondit en quelques jours. Les ruisseaux et les torrents revinrent à la vie. Lone amena son cheval, un hongre gris, près de la cabane et se prépara à partir. Josey sortit sa selle mais l'Indien secoua la tête.

« Pas de selle, pas de chapeau non plus, ni de chemise. Je vais mettre une couverture et je n'emporterai que le fusil. Je vais être un Peau-Rouge muet, les soldats pensent que tous les Indiens qui portent une couverture sont trop stupides pour être interrogés. »

Il s'en alla en suivant la berge de la rivière, là où il ne laisserait pas de traces dans le terrain marécageux, une silhouette courbée et désespérée, dans une couverture.

Deux jours passèrent et Josey, qui tendait l'oreille en attendant Lone, commença à s'énerver. Le sentiment du hors-la-loi pourchassé revint en lui et la cabane devint un piège. Le troisième jour, il transporta sa couverture et ses armes dans les buissons et monta la garde alternativement sur la berge du ruisseau et dans la cabane. Rien n'aurait jamais pu lui faire croire que Lone l'avait trahi mais tant de choses pouvaient arriver.

Lone pouvait avoir été démasqué, suivi par une patrouille, beaucoup avaient des pisteurs osages. Il avait retiré le rouan de l'écurie et l'avait attaché dans les buissons et l'après-midi du quatrième jour, il entendit l'appel de l'engoulevent de nuit. Il répondit et vit Lone apparaître silencieusement sur la berge de la rivière, monté sur son cheval gris. L'Indien avait l'air encore plus maigre. Josey se demanda soudain son âge en voyant les rides qui creusaient son visage. Il était plus vieux... comme si le désespoir avait ôté toute la force de son corps. En déchargeant le grain et les marchandises, l'Indien ne dit rien et Josey ne lui posa pas de questions.

Ils mangèrent en silence devant la cheminée en fixant tous les deux les flammes et Lone commença à parler tranquillement : « On parle beaucoup de toi. Il y en a qui disent que tu as tué trente-cinq hommes, d'autres quarante. Les soldats disent que tu n'en as plus pour long-temps à vivre parce qu'ils ont augmenté la récompense pour ta tête. C'est cinq mille dollars-or. Il y en a plein qui te cherchent et j'ai vu cinq patrouilles différentes. On m'a arrêté deux fois quand je rentrais. J'ai caché les munitions dans le grain. »

Le rire de Lone avait quelque chose d'amer.

« Ils voulaient me voler le grain mais je leur ai dit que c'était les déchets du poste... que les hommes blancs l'avaient jeté parce qu'il rendait les hommes blancs malades et que je l'avais pris pour ma femme. Ça les a fait rire et ils ont dit qu'un Indien pouvait tout manger. Ils ont pensé qu'il était empoisonné. »

Lone resta silencieux et regarda les flammes qui dansaient sur les bûches. Josey cracha un long jet de jus de chique dans le feu et, après un long moment, Lone continua : « Les pistes sont surveillées par des patrouilles... importantes. Quand il fera meilleur, ils vont battre les buissons. Ils savent que tu es dans les Nations... et ils te trouveront. »

Josey se coupa une chique. « M'est avis », dit-il calmement, comme quelqu'un qui a vécu pendant des années au milieu des patrouilles ennemies. Il observa la lumière du feu qui jouait sur le visage de l'Indien. Il semblait venir d'autrefois, avec une expression hautaine et désespérée qui rappelait quelque Dieu déchu assis avec dignité et déception.

« J'ai soixante ans, dit Lone. J'ai été jeune et j'ai eu une belle femme et deux fils. Ils sont morts sur la Piste des larmes quand nous avons quitté l'Alabama. Avant d'être obligés de partir, l'homme blanc parlait du mauvais Indien. Il se frappait la poitrine et disait pourquoi l'Indien devait s'en aller. Maintenant, il recommence. Tout le monde en parle déjà. Ils se frappent la poitrine pour justifier le mal qui va s'abattre sur l'Indien. Je n'ai pas de femme, je n'ai pas de fils. Je n'ai pas envie de signer le papier. Je ne resterai pas pour revoir les mêmes choses. J'irai avec toi, si tu veux de moi. »

Il avait dit cela simplement, sans rancœur ni émotion. Mais Josey savait de quoi parlait l'Indien. Il connaissait la douleur qu'on éprouve devant la perte d'une femme et d'un enfant... d'un foyer qui n'existait plus. Et il savait que Lone Watie, le Cherokee, en disant simplement qu'il voulait aller avec lui, en disait bien plus, qu'il avait choisi Josey comme quelqu'un des siens, un guerrier avec une même cause et le même respect pour le courage. Et que devant des hommes comme Josey Wales, il ne pourrait pas montrer ce qu'il ressentait. A la place, il dit : « Ils paient pour me voir mort. Tu ferais mieux d'aller au sud tout seul. »

Maintenant, il savait pourquoi Lone avait refusé de signer, pourquoi il s'était transformé en banni, dans l'espoir que le blâme retomberait sur des hommes tels que lui et non sur son peuple. Pendant ce voyage, il s'était convaincu que rien ne pourrait sauver la nation cherokee.

Lone quitta le feu des yeux et regarda Josey droit dans les yeux. Il parla lentement : « C'est bien que les ennemis d'un homme veulent le voir mort ; ça prouve que sa vie vaut quelque chose. Je suis vieux mais je veux être libre tant que je vivrai. Je voudrais aller avec un homme comme toi. »

Josey attrapa le sac en papier que Lone avait rapporté avec les provisions et en sortit une boule de sucre rouge. Il la leva dans la lumière.

« Sacré vieil Indien, dit-il, toujours en train d'acheter quelque chose de rouge, sacré fou ! »

Le sourire de Lone s'agrandit et se transforma en rire de gorge. Il savait qu'il ferait route avec Josey Wales.

Le froid de février continua en mars alors qu'ils se préparaient à partir. L'herbe serait verte au sud et les troupeaux de bœufs à longues cornes qui quittaient le Texas pour Sedalia par la piste shawnee les cacheraient pendant qu'ils descendraient au sud.

Le Mexique ! L'idée s'était ancrée dans l'esprit de Josey. Une fois, quand ils passaient l'hiver à Mineral Creek, un vieux de la cavalerie confédérée de McCulloch leur avait rendu visite à leur feu de camp et les avait régalés avec le récit de ses campagnes avec le général Zachary Taylor à Monterrey en 1847. Il leur avait raconté des histoires de fêtes et de nuits embaumées, de danses et de *señoritas* espagnoles. Il y avait eu le récit à vous faire frissonner de l'arrivée de l'émissaire du général Santa Anna, venu informer Taylor qu'il était encerclé par vingt mille soldats et qu'il devait se rendre. Aux premières lueurs de l'aube, la fanfare militaire mexicaine avait joué le « Dequela », « pas de pitié », des milliers d'oriflammes flottaient dans la brise au sommet des collines qui entouraient les hommes de Taylor. Et le vieux Zach avait descendu les rangs monté sur Whitey.

« Chargez bien vos fusils et faites-leur en voir à ces salauds. »

Les histoires avaient captivé les combattants du Missouri, ces garçons de ferme qui n'avaient rien trouvé de romantique dans la sale guerre de la Frontière. Josey s'était souvenu de cet intermède autour d'un feu de camp au Texas. Si un type avait nulle part à aller... eh ben, pourquoi pas le Mexique !

Ils sellèrent les chevaux un matin de mars. Un vent glacé faisait tomber du givre des arbres et le sol était gelé avant le lever du soleil. Les chevaux, bien nourris et impatients, refusèrent le mors et ruèrent quand ils mirent les selles. Josey laissa Lone prendre la tête et l'Indien s'éloigna de la cabane en suivant la berge du Neosho. Aucun des deux ne jeta un regard en arrière.

Lone n'avait pas mis sa couverture. Son chapeau gris de cavalerie lui couvrait les yeux. Autour de la taille, il portait la ceinture de ses colts, attachée bas. S'il devait accompagner Josey Wales, il le ferait avec audace, comme ce qu'il était, le compagnon d'un rebelle. Seuls son nez en bec d'aigle, ses cheveux nattés qui lui descendaient jusqu'aux épaules et ses bottes de peau indiquaient qu'il était indien.

Ils avançaient lentement. Ils suivaient des pistes à peine marquées et parfois n'en suivaient pas, tout en restant dans les courbes et les méandres de la rivière qui se faufilait vers le sud à travers la nation cherokee. Au troisième jour du voyage ils arrivèrent juste au nord de

Fort Gibson et ils durent s'éloigner de la rivière pour contourner le poste militaire. Ils le firent de nuit en suivant la piste shawnee et passèrent l'Arkansas à gué. A l'aube ils débouchèrent dans la prairie et entrèrent dans la nation creek.

Un peu avant midi, le cheval hongre commença à boiter. Lone mit pied à terre et palpa la jambe du cheval jusqu'au sabot. L'animal sauta quand il toucha un tendon. « Il a une élongation, dit-il, il est resté trop longtemps à l'écurie. »

Josey scruta l'horizon autour d'eux... Aucun cavalier en vue, mais ils étaient à découvert avec un seul cheval et les vallonnements de la prairie découvraient soudain ce qui n'était pas là quelques instants plus tôt. Josey passa une jambe au-dessus du pommeau de la selle et regarda songeur le hongre. « Ce ch'val-là va pas t'nir une semaine. »

Lone approuva tristement. Son visage ne trahissait rien mais il était désespéré. Il était juste qu'il reste en arrière, il ne pouvait pas mettre Josey Wales en danger.

Josey se tailla une chique. « Y'a combien pour le comptoir ? »

Lone se redressa. « Quatre miles... peut-être six. C'est le comptoir de Zukie Limmer mais y a des patrouilles qu'arrêtent pas d'aller et v'nir dans l' coin et la police creek aussi. »

Josey remit son pied dans l'étrier. « Ils sont tous à ch'val et c'est d'un ch'val qu'on a besoin. Attends ici. » Il mit le rouan au galop. Arrivé au sommet d'une butte, il regarda en arrière. Lone courait derrière lui en tirant le hongre qui boitait.

9

Le comptoir de commerce était installé à un mile des berges du Canadian sur un terrain argileux et désolé, couvert de buissons. C'était un bâtiment de bois à un étage sans aucun signe de vie à part une fine colonne de fumée qui s'élevait d'une cheminée. Derrière le comptoir, il y avait une grange à moitié effondrée qui manifestement n'était plus utilisée. Et derrière la grange, des chevaux étaient dans un enclos.

Du sommet d'une butte, Josey compta les chevaux... trente... Mais on ne voyait ni selles ni harnais. Cela signifiait qu'ils étaient à vendre. Il observa pendant quelques minutes. Aucun cheval n'était attaché à la barrière devant le comptoir, et il ne voyait aucun signe de mouvement. Il laissa le rouan descendre la pente et contourna le corral. Avant d'en avoir fait la moitié, il vit le cheval qu'il voulait, un grand noir avec un fort poitrail et un ventre rond, presque aussi grand que le rouan. Il fit le tour du comptoir, attacha son cheval à la barrière et s'avança vers la lourde porte.

Zukie Limmer était nerveux et avait peur. Il n'avait pas tort. Il tenait son comptoir sous la protection de l'armée U.S. et son contrat lui interdisait de vendre de l'alcool. En fait, il gagnait plus en en faisant la contrebande qu'avec les autres marchandises qu'il vendait bon marché aux Creeks. Maintenant, il avait peur. Les deux hommes avaient amené les chevaux hier et attendaient, disaient-ils, qu'un détachement de Fort Gibson vienne les inspecter pour les acheter. Ils avaient mis leurs propres chevaux dans le corral, puis ils avaient traîné leurs selles et les harnais dans le comptoir et avaient dormi par terre sans même demander l'autorisation. Il savait seulement qu'ils s'appelaient Yoke et Al, mais il savait aussi qu'ils étaient dangereux parce qu'ils avaient un sourire mauvais comme une menace à peine déguisée chaque fois qu'ils prenaient quelque chose qui leur plaisait en disant : « Mets ça sur notre compte », et invariablement cela les faisait éclater de rire comme s'il s'était agi d'une bonne plaisanterie. Ils prétendaient avoir des papiers pour les chevaux, mais Zukie soupçonnait que les chevaux étaient comanches, le butin d'un raid comanche sur des ranches au sud-ouest du Texas.

La veille au soir, le plus costaud des deux, Yoke, avait posé son énorme bras sur les petites épaules de Zukie et l'avait tiré vers lui d'une façon autoritaire. Il lui avait soufflé l'haleine de ses dents pourries en plein visage en lui affirmant : « On a des papiers pour les ch'vaux... des vrais papiers. S' pas, Al ? »

Il avait fait un énorme clin d'œil à Al et tous les deux avaient éclaté de rire. Zukie avait fui derrière la lourde planche posée sur des tonneaux qui lui servait de comptoir. Pour la nuit, il avait emporté dans l'appentis où il dormait la boîte dans laquelle il mettait son or. Il était resté toute la journée derrière son comptoir, d'abord en espérant l'arrivée de la patrouille, et maintenant en la craignant, parce que les deux hommes avaient découvert son tonneau de whisky et qu'ils buvaient depuis le milieu de la matinée.

Zukie n'avait oublié sa peur qu'une fois. Quand l'Indienne avait apporté le déjeuner et qu'elle avait posé les écuelles de bœuf devant eux, ils l'avaient attrapée. Elle était restée immobile tandis qu'ils promenaient leurs mains sales sur ses cuisses et ses fesses en faisant des plaisanteries obscènes.

« Elle est pas à vendre », avait dit Zukie d'un ton sec, puis effrayé par son audace il avait ajouté sur un ton de plainte : « C'est... elle est pas à moi... j' veux dire, elle travaille ici... »

Yoke avait fait un clin d'œil entendu à Al : « Il pourrait la mett' sur la note, Al. » Cela les avait fait rire et Yoke en était tombé de son tabouret. La femme s'était enfuie à la cuisine.

Zukie n'avait pas été scandalisé par ce qui était arrivé à la femme parce que c'est ce qu'il avait prévu de faire lui-même. Elle n'était au poste que depuis quatre jours, et Zukie Limmer n'avait pas l'habitude d'attaquer les choses directement. Il avançait de côté, comme un crabe. Il préférait la ruse, cela donnait plus de prix aux choses.

Elle était arrivée au poste venant de l'ouest et avait proposé une vieille couverture sale à vendre. Zukie l'avait jaugée immédiatement. C'était une bannie. L'énorme cicatrice qui courait tout le long de sa narine droite était la punition qu'on lui avait infligée dans une des tribus des Plaines pour infidélité. « Trop de mâles », avait ricané et répété Zukie. C'était astucieux et Zukie savourait son humour. Elle n'était pas laide. Peut-être vingt-cinq ou trente ans, encore mince, avec des seins en pointe et des cuisses rondes qui se dessinaient sous sa robe de daim. Elle portait des mocassins usés qui n'étaient plus que des lambeaux sur ses pieds enflés. Son visage couleur de bronze, encadré par ses cheveux noirs nattés, restait stoïque mais ses yeux étaient ceux d'un animal blessé.

En la voyant, Zukie en avait eu l'eau à la bouche. Il avait laissé courir ses mains sur ses seins fermes et elle n'avait pas bougé. Elle avait faim et était désespérée. Il l'avait mise au travail et il savait comment s'y prendre avec les Indiens, en particulier les femmes. Il avait attendu l'occasion et quand elle était tombée en renversant un baril de saumure, il lui avait tenu la tête près du sol avec une main tandis que de l'autre il l'avait battue avec une douve de tonneau jusqu'à ce qu'il ait mal au bras. Elle était restée immobile sous les coups mais il avait senti en elle une force animale. Des muscles, un ventre plat, des fesses et des cuisses fermes... elle était domptée. Zukie savourait l'idée. Quand il mangeait à sa table, il ouvrait la porte de l'appentis et la faisait s'asseoir accroupie à l'extérieur, avec le chien affamé, puis il lui jetait des restes. Elle était prête à venir dans son lit et elle ne ferait pas de manières.

Yoke demanda encore à manger et l'Indienne revint avec des pommes de terre et du bœuf. Quand elle arriva près de la table, Yoke lui entoura la taille de son énorme bras, la souleva du sol et l'allongea sur la table. Il lui écrasa la poitrine sous son énorme corps et lui saisit les cheveux en essayant de l'empêcher de tourner le visage tandis qu'il lui bavait dans la bouche. Le désir et l'alcool lui donnaient une voix pâteuse. « On va s' faire la p'tite squaw... s' pas, Al ? »

Al caressait les cuisses de la femme et ses mains remontèrent sous la robe de daim. La femme donna des coups de pied et détourna le visage sans crier... mais elle était impuissante. La lourde porte s'ouvrit soudain et Josey Wales entra. Tout le monde se figea sur place.

Zukie Limmer sut que c'était Josey Wales. Tout le monde parlait de la récompense. La description était exacte : les deux colts 44, la veste de daim, le chapeau gris de cavalerie, et la longue cicatrice qui traversait les joues. Il fallait qu'il soit fou ! Non, peu devait lui importer de vivre ou de mourir, pour se promener sans essayer de se dissimuler.

Zukie avait entendu des histoires à propos du hors-la-loi. Aucun homme n'était en sûreté devant lui et Zukie ressentit la témérité et la nature implacable de l'homme. Yoke et Al devinrent soudain des écoliers espiègles. Zukie Limmer posa les mains sur le comptoir, bien en vue, et un frisson glacé lui fit comprendre que sa vie était suspendue au caprice de ce tueur.

Josey Wales quitta rapidement l'embrasure de la porte et d'un même mouvement souple s'avança jusqu'au bout du bar afin de faire face à la porte. Il semblait ne pas avoir remarqué l'Indienne et ses persécuteurs. Ils la tenaient toujours mais observaient ce qui se passait, fascinés, tandis que Josey s'appuyait tranquillement au bar. Zukie se tourna vers lui en gardant les mains sur la planche et regarda droit les yeux noirs, froids et vides... Il en frissonna. Josey sourit. Peut-être voulait-il se montrer amical, mais cela creusait sa cicatrice et donnait à son visage une cruauté incroyable. Zukie se sentait comme une souris devant un chat qui ronronne, obligé de dire quelque chose.

« Un whisky, pour monsieur ? » s'entendit-il dire d'une voix fluette.

Josey attendit longtemps avant de répondre. « J' crois pas », dit-il sèchement.

« J'ai d' la bière fraîche... d' la bonne. Sur l' compte de la maison », bégaya Zukie.

Josey repoussa son chapeau. « Ça c'est gentil, l'ami. »

Zukie posa devant lui une énorme gamelle et la remplit. Josey but et cela le rassura. Après tout, c'était humain. Peut-être que l'homme avait un peu de raison. Il pouvait sûrement penser humainement... de façon sociable.

Josey essuya la mousse sur ses moustaches du revers de la main. « En fait, dit-il, j' voudrais acheter un ch'val.

— Un ch'val... ah !... un cheval ? » répéta stupidement Zukie.

Al avait titubé vers le bar. « Donne-moi d' ta bière », dit-il d'une voix pâteuse.

Zukie, sans quitter Josey des yeux, remplit une chope dans le baril et la posa sur le bar. « Les chevaux, dit-il, appartiennent à ces messieurs. Sans aucun doute... ils... je suis sûr qu'ils vont vous en vendre un. »

Al se tourna lentement vers Josey, la chope à la hauteur de la poitrine, et dessous il tenait un pistolet... le percuteur déjà levé. Un sourire rusé et triomphant lui éclaira le visage.

« Josey Wales », souffla-t-il, puis il gloussa de joie. « Josey Wales! Cinq mille dollars qui arrivent ici, tout seuls! Monsieur l'Eclair en personne, celui qui fout la panique à tout le monde. Bon, eh ben, maintenant, monsieur l'Eclair, tu bouges un ch'veu, tu r'mues un doigt et j' te les écrase sur le mur. Viens voir, Yoke. »

Yoke s'avança en traînant les pieds et lâcha l'Indienne. En détournant les yeux de Al à Josey, Zukie fut terrifié. Le hors-la-loi regardait Al fixement... il n'avait pas bougé. Zukie reprit confiance.

« Une seconde Al », dit Zukie d'un ton geignard. « Il est chez moi. C'est moi qui l'a r'connu, faudra partager. Je...

— Ferme-la », dit Al méchamment sans quitter Josey des yeux. « Ferme ta gueule, espèce de vieux bouc. J' l'ai eu tout seul. »

La tension rendait Al nerveux. « Maintenant, dit-il, quand je te dirai d' bouger, monsieur l'Eclair, t'iras tout doucement, sinon j' tire. Tu baisses les mains, tu sors tes armes et tu les tends d'vant toi, la crosse en avant, pour que Yoke puisse les prendre. Compris? Fais un signe, espèce de salaud! »

Josey fit un signe de la tête.

« Maintenant, lui ordonna Al, sors tes pistolets. »

Avec une lenteur extraordinaire, Josey sortit ses colts et les tendit la crosse en avant à Yoke. Il avait un doigt de chaque main passé dans le pontet. Yoke s'avança et tendit la main vers les crosses. Il allait les prendre quand, d'un mouvement des poignets, Josey fit tourner les armes sur ses doigts. Comme par magie, les pistolets étaient retournés, les canons dirigés sur Al et Yoke... mais Al n'a jamais eu le temps de voir.

Le 44 que Josey tenait à la main droite explosa avec un bruit à vous arracher les tympans et Al fut soulevé du sol et se plia à la renverse. Yoke était stupéfié. Il se passa une seconde avant qu'il atteigne le pistolet qui était sur sa hanche. Il savait que son effort était vain, mais il lisait la mort dans les yeux de Josey. Le 44 de la main gauche tonna et le sommet de la tête de Yoke ainsi que la moitié de son cerveau allèrent s'écraser sur un poteau.

« Ah ! mon Dieu ! mon Dieu ! » hurla Zukie. Et il tomba en pleurs sur le sol. Il avait déjà vu quelqu'un faire tourner ses pistolets comme ça. Quelques années auparavant, le Texan John Wesley Hardin avait utilisé le même truc pour désarmer Wild Bill Hickok à Abilene. Dans l'Ouest, on appelait cela le « tourniquet de la Frontière », en honneur aux combattants de la Frontière du Missouri qui l'avaient inventé, mais très peu osaient le faire parce que cela demandait une grande maîtrise au pistolet.

Une fumée âcre et bleue emplit la pièce. L'Indienne n'avait pas bougé, et elle restait toujours immobile, mais ses yeux suivaient Josey Wales.

« Debout, monsieur. » Josey se pencha au-dessus de la planche et Zukie se redressa. Il avait les mains qui tremblaient en regardant le hors-la-loi se couper une chique et remettre le tabac dans sa veste. Il mâcha pendant un moment en regardant Zukie d'un air songeur.

« Alors, comme ça, dit-il, les ch'vaux appartiennent à ces pèlerins ? » Il désigna les « pèle-

94

rins » en lançant avec précision un jet de jus de chique sur le visage de Al.

« Oui... oui », dit Zukie plein de bonne volonté, « ... et monsieur Wales, j'essayais seul' ment de me débarrasser d'eux... d'vous aider... quand j'ai parlé d' la récompense...

— J'apprécie beaucoup, dit Josey sèchement, mais pour en rev'nir aux ch'vaux, j'ai l'impression qu' ces pauvres pèlerins auront plus besoin d' chevaux... Quand on voit comment ils sont morts... m'est avis que les ch'vaux sont plus ou moins propriété publique... tu crois pas ? »

Zukie approuva énergiquement. « Oui, oh, oui... j' suis tout à fait d'accord. Ça me semble tout à fait correct.

— Juste et bon comme la pluie, dit Josey satisfait. Et comme j' suis un citoyen, continuat-il, m'est avis que j' vais prendre ma part de la propriété publique parce qu'on a pas l' temps d'attendre que le tribunal fasse le partage.

— J' crois que vous pouvez prendre tous les ch'vaux, dit Zukie généreusement. Ils... c'est... ils vous appartiennent tous.

— J' suis pas un rapace, dit Josey. Il faut penser aux autres citoyens. Un ch'val, ça m'ira. Tu prends cette corde là-bas et tu viens, on va attraper ma propriété. »

Zukie se précipita dehors, précédant Josey et courut vers le coral. Ils attrapèrent le grand cheval noir. Josey lui fixa un licou et enfourcha le rouan. De sa selle, Josey regarda Zukie qui dansait nerveusement d'un pied sur l'autre.

« M'est avis qu' vous allez vivre, monsieur », sa voix était froide, « mais une femme est une femme. J'ai des amis dans les Nations indiennes et ils m'ont demandé que cette femme soit pas maltraitée, sinon j' deviendrai méchant. »

Zukie secoua la tête. « J' vous donne ma parole, monsieur Wales... ma parole d'honneur, elle le sera pas... plus jamais. Je ferai...

— Je reviendrai. » Et là-dessus, Josey éperonna le rouan et s'en alla dans un nuage de poussière en tirant le grand cheval noir derrière lui. L'Indienne accroupie derrière l'appentis le regardait s'éloigner.

Josey retrouva Lone qui l'attendait au sommet de la première butte, son fusil dirigé sur le comptoir de commerce. Les yeux de Lone brillèrent quand il vit le cheval.

« Un cheval comme ça, il faut coucher avec pour que votre grand-mère vous le vole pas », dit-il avec admiration.

« Ouais », dit Josey avec un large sourire. « Je l'ai pas payé cher. Mais si on est pas partis dans une minute, il y a des chances que l'armée va nous le prendre. Il y a une patrouille qui va arriver de Fort Gibson. »

Ils firent vite et transportèrent les harnais du hongre gris sur le cheval noir. Le hongre s'éloigna aussitôt et commença à brouter.

« Il sera remis dans une semaine... peut-être qu'il va rester libre le reste de sa vie », dit Lone avec un air de regret.

« Allons-y », dit Josey et il lança le rouan en bas de la colline suivi par Lone sur le cheval noir. Ils avaient maintenant de magnifiques montures. Ils traversèrent le Canadian à gué et s'en allèrent vers les territoires séminole et choctaw.

Moins d'une heure plus tard, Zukie Limmer racontait son histoire à la patrouille de Fort

Gibson et en moins de trois heures des dépêches alertaient l'Etat du Texas. On avait ajouté ces mots : « Tirer à vue. Ne pas tenter de le désarmer. Répétons : ne pas tenter de le désarmer. Cinq mille dollars récompense : mort. »

Le récit du tourniquet avec les pistolets vola vers le sud, à la vitesse des dépêches. Chacun en la racontant devant les feux de camp des conducteurs qui remontaient la piste augmentait l'histoire. Le violent Texas connaissait et parlait de Josey Wales bien avant qu'il n'en atteigne les frontières. Le cruel ex-lieutenant de Bloody Bill ; le combattant aux mains rapides comme l'éclair et aux nerfs d'acier qui maîtrisait l'art de la mort avec ses colts 44.

10

Ils voyagèrent tard dans la nuit. Josey laissa Lone les guider. Le Cherokee était expert pour suivre une piste et avec la menace derrière eux il mit tout son art en pratique.

Une fois, pendant un mile, ils marchèrent au milieu d'un petit ruisseau et ne remontèrent les chevaux sur la berge que quand Lone trouva un sol de graviers sur lequel on ne laissait pas d'empreintes. Pendant une dizaine de miles, ils suivirent sans crainte la piste shawnee, qui était bien marquée, en mêlant leurs traces à celles de la piste. A chaque fois qu'ils s'arrêtaient pour reposer les chevaux, Lone enfonçait un bâton dans le sol... puis il le serrait dans les dents et « écoutait » les vibrations des pas des chevaux. Quand il remontait en selle, il disait intrigué : « Juste un petit son, peut-être un cheval... mais il nous colle... on le sème pas. »

Josey fronçait les sourcils. « J' crois pas que c'est un ch'val... un bison peut-être... ou un ch'val sauvage. »

Il était plus de minuit quand ils s'arrêtèrent pour se reposer. Enroulés dans leurs couvertures sur les berges d'un ruisseau qui s'en allait en serpentant vers Pine Mountain, ils dormirent avec les rênes attachées au poignet. Ils avaient nourri les chevaux mais ne les avaient pas dessellés, desserrant juste les sous-ventrières.

Ils se levèrent avant l'aube, mangèrent du bœuf séché et des biscuits et donnèrent une double ration aux chevaux en prévision de la dure étape. Soudain, Lone posa la main sur le sol. Il s'agenouilla et colla son oreille sur la terre.

« C'est un cheval, dit-il calmement, il descend la vallée. » Josey pouvait l'entendre traverser les broussailles. Il attacha son cheval derrière un plaqueminier et s'avança dans la petite clairière.

« C'est sûrement un appât », dit-il. Lone fit un signe de tête et sortit son grand poignard de son fourreau. Il se le mit entre les dents et se glissa sans bruit dans les buissons en direction de la rivière. Josey aperçut le cheval. Il était tacheté et le cavalier était penché sur l'encolure et observait le sol en avançant. Puis il vit Josey mais ne s'arrêta pas, au contraire il mit le cheval au trot. Le cheval était à moins de vingt mètres de Josey et le cavalier portait sur la tête une couverture qui lui tombait autour des épaules.

Soudain, une silhouette jaillit des buissons et retomba à califourchon sur le cheval et fit tomber le cavalier. C'était Lone. Il était au-dessus du cavalier, allongé sur le sol, et leva son couteau pour frapper. « Attends ! » cria Josey.

Le cavalier avait perdu sa couverture. C'était l'Indienne. Lone s'assit sur elle, ébahi. Un chien à l'allure méchante lui avait attrapé un de ses mocassins et il se releva et lui donna un coup de pied. L'Indienne se leva et brossa calmement sa robe. Quand Josey s'approcha elle montra du doigt le bas du ruisseau.

« Des soldats, dit-elle. A deux heures. » Lone la regardait avec de grands yeux.

« Mais d'où ?...

— Elle était au comptoir de commerce », dit Josey, puis à la femme : « Combien de soldats ? »

Elle secoua la tête et Josey s'adressa à Lone. « Demande-lui à propos des soldats... essaie une langue.

— Les signes, dit Lone. Tous les Indiens connaissent le langage par signes, même les tribus qui ne connaissent pas un mot du langage de l'autre. »

Il déplaça ses mains et ses doigts devant lui. La femme approuva vigoureusement et lui répondit avec les mains.

Lone s'adressa à Josey : « Elle dit qu'il y a vingt soldats, à deux... peut-être trois heures derrière... attends, elle dit autre chose. »

L'Indienne bougea rapidement les mains pendant plusieurs minutes tandis que Lone regardait. Il gloussa, rit et redevint silencieux.

« Qu'est-ce que c'est, demanda Josey. Hé ! Dis-lui de se taire ! »

Lone leva la main, paume tendue vers la femme, et regarda Josey avec admiration.

« Elle m'a raconté la bagarre au comptoir... tes pistolets magiques. Elle dit que tu es un grand guerrier et un grand homme. Elle est cheyenne. Le geste de se couper le poignet veut dire Cheyenne. Chaque tribu des plaines a un signe pour s'identifier. La main qui se tortille en avançant, c'est le signe du serpent, ce sont les

101

Comanches. Elle dit que les deux hommes que tu as tués faisaient du commerce avec les Comanches, ce sont des Comancheros. Elle dit qu'elle a été violée par un Arapaho, le signe des Arapahos c'est " nez sale ", c'est quand elle se tient le nez dans les doigts, et que le chef Cheyenne, Moke-to-ve-to, Black Kettle, a cru qu'elle n'avait pas suffisamment résisté. Elle aurait dû se tuer. Aussi on l'a fouettée, on l'a marquée au nez et elle a été bannie pour qu'elle meure. » Lone s'arrêta. « A propos, elle s'appelle Taketoha, ça veut dire Petit Clair de Lune.

— Elle sait parler », dit Josey, admiratif. Il cracha du jus de chique sur le chien qui grogna. « Dis-lui de retourner au comptoir de commerce. Elle sera mieux traitée maintenant. Dis-lui que beaucoup d'hommes veulent nous tuer... qu'on doit se dépêcher, que c'est trop dangereux pour une femme », Josey s'arrêta, « et dis-lui qu'on apprécie ce qu'elle a fait pour nous. »

Les mains de Lone s'agitèrent rapidement. Il la regarda avec sérieux tandis qu'elle répondait. Enfin, il regarda Josey et parla avec la fierté d'un Indien. « Elle dit qu'elle ne peut pas rentrer. Elle a volé un fusil, des provisions et le ch'val. Elle dit que même si elle pouvait, elle ne rentrerait pas... elle a suivi nos traces. Tu lui as sauvé la vie. Elle dit qu'elle peut faire la cuisine, suivre une piste et se battre. Notre route est sa route. Elle dit qu'elle a nulle part à aller. » Le visage de Lone n'exprimait rien mais ses yeux suppliaient Josey. « Elle est pas mal », ajouta-t-il avec espoir.

Josey cracha. « Au diable tous les liens. On va au Texas comme un convoi de chariots. Bon... » Il soupira et se tourna vers les chevaux. « Si elle traîne, il faudra qu'elle retrouve notre trace, et quand elle sera fatiguée, elle pourra s'en aller. »

En montant en selle, Lone dit : « Elle croit que je suis un chef Cherokee.

— Je me demande où elle a déniché cette idée », répondit sèchement Josey. Little Moonlight[1] ramassa son fusil et sa couverture et sauta sur son cheval de façon experte. Elle attendit humblement, les yeux baissés, que les hommes s'engagent sur la piste.

« Cela m'étonne », dit Josey tandis qu'ils sortaient des buissons.

« Qu'est-ce qui t'étonne ? » demanda Lone.

« Ça m'étonne, dit-il, que même les chiens peaux-rouges aient nulle part à aller, eux non plus. »

Lone éclata de rire et prit la tête, suivi de près par Josey. Little Moonlight suivait à distance respectueuse, sous sa couverture, et à ses pieds le chien flairait la piste.

Ils allèrent vers le sud, puis vers le sud-ouest, en contournant Pine Mountain à leur gauche et en restant généralement en terrain découvert. Il y avait plus d'herbe. Lone maintint le cheval noir au petit galop et le rouan le suivait facilement mais Little Moonlight perdit de plus en plus de terrain. En milieu d'après-midi Josey pouvait juste voir sa tête qui se balançait à près d'un mile derrière. On n'avait pas vu les soldats mais en fin d'après-midi, un groupe d'Indiens à demi nus, armés de fusils, les suivirent sur une crête à leur gauche et amenèrent leurs poneys pour leur couper la route.

---

1. *Little Moonlight :* Petit Clair de Lune. *(N.d.T.)*

Lone ralentit son cheval.

« J'en compte douze », dit Josey en amenant son cheval à la hauteur de Lone.

Lone approuva. « Ce sont des Choctaws qui descendent vers les pistes des troupeaux. Ils vont demander de payer pour traverser leurs terres... puis ils prendront le bétail, avec ou sans permission. »

Les Indiens s'approchèrent mais quand ils eurent inspecté de loin les deux hommes bien armés, sur les deux grands chevaux, ils firent demi-tour et ralentirent l'allure. Un quart de mile plus loin, Lone s'arrêta si brusquement que le rouan faillit se cogner dans son cheval.

« Taketoha ! cria-t-il. Little Moonlight !... » Ils tournèrent immédiatement leurs chevaux et rebroussèrent chemin au galop. Au sommet d'une butte, ils virent les Indiens assez près du cheval tacheté. Little Moonlight levait son fusil et tenait le groupe d'Indiens à distance. Quand les Choctaws virent Lone et Josey au sommet de la crête, ils s'éloignèrent de la femme. Ils avaient compris. Pour une raison ou pour une autre, la squaw faisait partie de cette étrange caravane qui comprenait également deux cavaliers montés sur d'énormes chevaux et un chien cadavérique avec de longues oreilles.

A minuit, ils campèrent sur les berges de la Clear Boggy Creek, à moins d'un jour de cheval de la Red River et du Texas. Une heure plus tard, Little Moonlight arriva au camp.

Josey l'entendit qui se glissait autour de leurs couvertures. Il vit Lone se lever pour donner à manger au cheval tacheté. Elle s'enroula à son tour dans une couverture à quelque distance d'eux et s'endormit sans manger.

Ce sont ses déplacements qui réveillèrent Josey avant l'aube et il sentit l'odeur de la nourriture mais ne vit pas de feu. Little Moonlight avait traîné une souche creuse près d'eux et elle avait creusé un trou dedans. Puis elle avait placé un pot sur le feu dissimulé.

Lone était déjà en train de manger. « J' vais bientôt installer mon tepee si c'est comme ça... », dit-il en souriant. Josey se leva pour aller nourrir les chevaux, mais Lone lui dit : « Elle l'a déjà fait et elle les a fait boire. Elle les a aussi étrillés et a resserré les sous-ventrières. Tu ferais mieux de poser tes fesses par terre comme un chef et de manger. »

Josey prit le bol qu'elle lui tendait et s'assit jambes croisées à côté du tronc d'arbre. « Je vois que le chef Cherokee est déjà en train de manger, dit-il.

— Les chefs Cherokees ont beaucoup d'appétit », répondit Lone en riant, puis il rota et s'étira. Le chien grogna ; il mangeait un lapin. Josey le regarda.

« Je vois que le chien a sa part, dit-il. Il me rappelle un chien qu'on avait dans le Tennessee. J'étais allé avec p'pa au marché. Ils avaient des chiens très bien, mais p'pa, il a payé cinquante cents pour un vieux chien comme ça qui avait la queue cassée, un œil en moins et une oreille à moitié arrachée. J'ai d'mandé à p'pa pourquoi et i' m'a dit que dès qu'il l'avait vu, il avait su qu'il avait du cran, et ça a été le meilleur chien qu'on a jamais eu. »

Lone regarda Little Moonlight qui rangeait ses affaires sur le cheval tacheté. « C'est comme ça... souvent... avec les femmes. Ton père était un véritable homme des montagnes. »

Tandis qu'ils descendaient au sud, toujours dans la Nation Choctaw, le vent eut des senteurs d'humidité, qui annonçaient avril. Au crépuscule ils aperçurent la Red River et après la tombée de la nuit, ils passèrent tous les trois à gué près de la Piste shawnee. Ils posèrent le pied au Texas, la terre de la violence.

11

En 1867, le Texas était sous la férule du général de l'Union Phil Sheridan. Il avait révoqué le gouverneur James W. Throckmorton et avait nommé son propre gouverneur, E. M. Pease. Pease, l'homme lige de l'armée du Nord sous les ordres de politiciens radicaux de Washington, serait bientôt remplacé par un autre gouverneur militaire, E. J. Davis, mais les choses ne changeraient pas.

Seuls ceux qui avaient fait le « serment » pouvaient voter. De longues lignes de soldats de l'Union se tenaient devant le bureau de vote. Tous les sympathisants sudistes avaient été chassés des charges importantes. Les juges, les maires, les shérifs avaient été remplacés par ceux que les Texans appelaient les *scalawags,* si les renégats étaient du Sud, et *carpet-baggers,* s'ils venaient du Nord[1]. Les milices armées, vêtues de vestes bleues, les « régulateurs »,

---

1. *Scalawags et* Carpet-baggers. Deux termes intraduisibles car historiquement fixés, comme l'explique l'auteur. Ils pourraient correspondre à « politiciens » dans son sens le plus péjoratif. *(N.d.T.)*

imposaient ou tentaient d'imposer la volonté du gouverneur, et des nuées de partisans de l'Union à moitié contrôlés par les politiciens envahissaient le pays comme des sauterelles.

La rapacité de vautour des politiciens et leurs manipulations faisaient ressentir leurs effets partout. Ils cherchaient à confisquer les terres et les maisons et à ne pas payer les impôts et les taxes. L'armée, comme d'habitude, était prise au milieu et la plupart du temps restait en dehors ou consacrait tous ses efforts à une tâche futile, contenir les raids des cruels Comanches et Kiowas qui descendaient jusqu'au centre du Texas. Ces Tartares des plaines défendaient férocement leurs derniers territoires qui s'étendaient de l'intérieur du Mexique jusqu'au Cimarron au nord.

Les noms des Rebelles indomptés gagnaient une sinistre célébrité. Cullen Baker, une terreur venue de Louisiane, était largement connu. Le capitaine Bob Lee, qui avait servi sous les ordres de l'incomparable Bedford Forrest au Tennessee, menait une véritable petite guerre contre les partisans de l'Union dirigés par Lewis Peacock. Il opérait autour des comtés de Fannin, de Collins et de Hunt, et mettait le nord-est du Texas à feu et à sang. Sa tête était déjà mise à prix. Bill Longley, le tueur implacable d'Evergreen, était recherché, et plus au sud, près des comtés de Dewitt et de Gonzales, il y avait le clan Taylor. Il était dirigé par l'ancien Confédéré, le capitaine Creed Taylor, et était composé des frères Josiah, Rufus, Pitkin, William et Charlie, des fils Buck, Jim, et de toute une armée de la seconde génération.

Venus des Carolines, de Géorgie et de l'Alabama, ils combattaient sous la devise de la famille Taylor qu'ils avaient dans le sang depuis leur naissance : « Celui qui répand du sang des Taylor doit mourir de la main d'un Taylor. » Et ils le faisaient. Des villes entières étaient terrorisées par les règlements de compte entre les Taylor, leurs voisins, leurs parents et les « régulateurs » dirigés par Bill Sutton. C'étaient des êtres durs et vils, obstinés à défendre leurs « biens ». Personne ne les avait jamais chassés et ils tenaient à le prouver.

Simp Dixon, un parent des Taylor, mourut à Cotton Gin, au Texas, le dos au mur, plein de plomb, avec ses deux Colts 44 en train de tirer. Il tua cinq « régulateurs ». Les frères Clement ravageaient les villes contrôlées par les *Carpetbaggers* et disparaissaient périodiquement quand cela devenait malsain pour eux au Texas. Les ranches perdaient des milliers de bœufs à longues cornes. Le Nord-Est avait besoin de viande, et les gars du Sud réunissaient les bêtes et s'en allaient au nord.

Ils remontaient d'abord la piste shawnee jusqu'à Sedalia au Missouri, puis la piste Chisholm jusqu'à Abilene dans le Kansas, ensuite la piste de l'Ouest jusqu'à Dodge City, au fur et à mesure que la voie ferrée allait vers l'ouest. Chaque printemps et chaque automne, ils transformaient les villes têtes de ligne en « petits Texas » en les marquant au fer de leur sauvagerie et ces petits villages se trouvaient inscrits dans l'histoire.

C'est un an auparavant qu'un jeune garçon, John Wesley Hardin, avait commencé sa fantastique carrière de tueur, mais ce n'était qu'un parmi d'autres. Le général Sherman disait :

« Si je possédais le Texas et l'enfer, je louerais le Texas pour habiter en enfer. »

Et maintenant une nouvelle descendait la piste. Le rebelle du Missouri, le meilleur tireur au pistolet, Josey Wales, arrivait au Texas. C'était suffisant pour faire sauter de joie un Texan et qu'il crache dans le vent. Le politicien était hors de lui et s'agitait fiévreusement. Les deux réunissaient leurs forces pour l'accueil.

Les feux de camp brillaient à perte de vue. Les premiers troupeaux partaient vers le nord, où après un hiver sans bœuf les prix étaient au plus haut. Les longues-cornes beuglaient et se bousculaient quand les cow-boys les entouraient afin de les arrêter pour la nuit. Josey, Lone et Little Moonlight, qui restaient ensemble maintenant, passaient près des feux de camp, hors du cercle de lumière. La voix aiguë d'un banjo s'éleva au-dessus du bruit des troupeaux et une voix mélancolique chanta :

> J'ai plus l' droit de prendr' mon fusil
> Et de les combattre à l'av'nir,
> Mais j'arriv' pas à les aimer.
> Maintenant c'est sûr et certain.
> Et je veux pas de leur pardon,
> Pour ce que j' suis ou ai été.
> J' me fous de la Reconstruction
> Comm' de ma première chemise.

Ils campèrent dans un petit ravin, loin des troupeaux. Comme il était impossible de nourrir les chevaux en les laissant brouter et qu'il y avait en plus le cheval tacheté, le grain commençait à baisser.

C'était l'heure de la pause pour les cow-boys des frères Gatling. Onze cow-boys et trois frères Gatling poussaient trois mille têtes de longues-cornes. La journée avait été dure. D'autres troupeaux suivaient derrière eux, et des vaqueros mexicains qui étaient sur leurs talons avec un petit troupeau leur avaient crié d'aller plus vite. Plusieurs bagarres avaient éclaté et les cow-boys étaient de mauvaise humeur. Les longues-cornes n'étaient pas encore habitués à la piste et restaient aussi sauvages que lorsqu'on avait été les chercher dans la brousse. Ils n'avaient cessé de s'écarter du gros du troupeau et les cow-boys n'avaient pas chômé. Dix d'entre eux étaient maintenant accroupis ou assis jambes croisées autour du feu et s'empiffraient de haricots et de bœuf. La moitié d'entre eux devraient relever les cavaliers qui entouraient le troupeau et prendre la première garde. Ils n'étaient pas pressés de remonter en selle. Ils étaient grossièrement vêtus et la plupart portaient des pantalons de cuir, des « chapparal »[1] qu'ils appelaient des « chaps » et de lourds pistolets tiraient sur leurs ceintures.

« Holà, le camp ! » cria une voix claire. Chacun se raidit. Quatre hommes reculèrent de quelques pas et disparurent dans l'obscurité. Ils avaient des « papiers » et étaient protégés par le code de la piste, cependant chacun était prêt

1. « Chapparal », sortes de pantalons de cuir qui ne recouvraient que les jambes et les cuisses et qui protégeaient les pantalons de toile. (N.d.T.)

111

à se battre à mort pour se défendre. Ce n'était pas la peine d'aller s'ennuyer à écouter un juge bavard.

Pendant un long moment, le chef de convoi continua à manger. Puis il se leva et hurla : « Venez ! » Ils entendirent le cheval qui marchait lentement. Il entra dans la lumière. C'était un énorme cheval noir qui renifla et s'ébroua quand son cavalier le fit approcher. Il mit pied à terre et, ne faisant pas confiance à sa monture, l'attacha à la roue du chariot. Puis, sans rien dire, il prit une assiette et un quart dans ses fontes. Il remplit l'assiette d'une énorme portion de bœuf et de haricots et le quart de café, puis il s'assit dans le cercle pour manger. C'était la coutume. Le campement était ouvert à tout cavalier.

On n'aimait pas poser des questions au Texas. A chaque fois que quelqu'un en posait une il commençait invariablement par un « sans vouloir vous offenser... » parfaitement inutile, évidemment il ne voulait pas offenser, sinon il était prêt à sortir son pistolet. De toute façon, il était inutile de poser des questions. Chaque cow-boy pouvait « lire ». L'homme portait des bottes de peau et de longs cheveux noirs tressés. C'était un Indien. Le chapeau de cavalerie gris signifiait que c'était un Confédéré. Il y avait le 44 attaché bas et le poignard. Un bagarreur. Il venait des Nations, du nord, et il allait au sud, sinon, s'il était venu du sud, il se serait arrêté au premier troupeau. Il avait un trop bon cheval pour un simple Indien ou un cow-boy, il fuyait donc quelque chose, ce qui se passait quand le cheval était ce qu'un type possédait de mieux. La « lecture » ne demandait pas plus d'une

112

minute. Ils approuvaient et le montrèrent en reprenant leurs conversations.

« Pour eux, la meilleure façon d'avoir Josey Wales, ce s'ra par-derrière », dit un marqueur de bêtes barbu en sauçant un biscuit dans ses haricots.

Un autre se leva pour remplir son assiette. « Whit, qu'a été avec Bill Todd et Fletch Taylor au Missouri, il dit qu'il a vu Josey Wales une fois, en 65, à Baxter Springs. Il a dégainé devant trois Pantalons rouges... Whit, il dit qu'il a pas pu voir ses mains bouger...

— Les Bleus lui ont coupé la route dans les Nations », dit un autre. « On dit qu'y a un autre gars avec lui, p'têt' bien deux. »

Le chef du convoi dit : « Il est connu qu'il a des amis parmi les Cherokees... » Sa voix s'éteignit. Il avait parlé avant de penser. Et maintenant il y avait un silence embarrassé. On jetait des coups d'œil furtifs vers l'Indien qui semblait ne pas avoir entendu. Il s'occupait de son assiette.

Le chef du convoi s'éclaircit la voix et s'adressa à l'Indien. « Etranger, on se demandait comment était la piste au nord. Enfin, si vous venez de cette direction, sans vouloir vous offenser. »

Lone leva les yeux d'un air insouciant et parla la bouche pleine. « Y a pas d'offense, dit-il. L'herbe devrait être bonne à brouter. D' l'autre côté de la Red River, vous risquez d'être empoisonnés par les Choctaws... des petits groupes, avec des vieux fusils à chargement par le canon. » Il avala ce qu'il lui restait de haricots et nettoya son assiette avec du sable, puis but son café. « J' venais voir si j' pouvais vous acheter un peu de grain... si vous en avez à vendre.

— On fait paître nos bêtes... on n'a pas d' grain, dit le chef de convoi, mais pour un seul cheval, p'têt' que...

— Trois ch'vaux », dit Lone.

Le chef se retourna vers le cuisinier : « Donne-leur l'avoine », et à Lone : « On en a pas beaucoup, pour un jour ou deux, mais on pourra manger du maïs grillé... s' pas, les gars ? »

Les cow-boys secouèrent tous leurs grands chapeaux à l'unisson. Ils savaient.

« J' voudrais vous payer », dit Lone quand le cuisinier lui donna le sac d'avoine.

« Sûrement pas », dit un cow-boy d'une voix claire et forte.

Quand Lone remonta en selle, le chef du convoi retint son cheval un instant : « Des partisans de l'Union, vingt-cinq... p' têt' trente... Ils passent les troupeaux au peigne fin à un jour de cheval derrière... » Il lâcha la bride du cheval.

Lone le regarda et ses yeux brillèrent. « Merci », dit-il calmement. Il fit tourner son cheval et disparut.

« Bonne chance. » Des voix venant du feu de camp arrivèrent jusqu'à lui.

Josey et Little Moonlight l'avaient attendu près d'un ruisseau peu profond. Il était assis, tenant les rênes de son cheval et Little Moonlight était debout derrière lui, sur la berge. Avant qu'il n'ait entendu l'approche de Lone, elle lui toucha le bras. « Un cheval », dit-elle.

Josey sourit dans l'obscurité ; une Cheyenne. Il écouta en silence le compte rendu de Lone.

Pour lui, il allait de soi que le Texas n'avait pas changé depuis qu'il y avait passé l'hiver pendant la guerre. Tout était calme derrière les Confédérés. Mais aujourd'hui, les mêmes trahisons que celles qui avaient été le fléau du Missouri pendant de nombreuses années se répandaient.

Son visage se durcit. Ce ne serait pas une partie de plaisir d'aller au Mexique. Il était surpris qu'on connaisse aussi bien son nom, mais le terme de « régulateur » était nouveau pour lui. Lone attendit patiemment que Josey parle. Lone Watie était un grand pisteur. Il avait été un cavalier de premier ordre dans l'armée, mais il savait par instinct que le Texas nécessitait la direction d'un maître dans l'art de la guérilla.

« On voyagera de nuit », dit Josey avec un sourire. « Le jour on restera près des ruisseaux et sous les arbres. Plus on ira au sud et mieux ce sera. En route. » Ils dirigèrent les chevaux vers le sud et passèrent très au large des feux de camp.

Au matin du quatrième jour, ils aperçurent le Brazos et campèrent dans des cotonniers à un demi-mile de la route de Towash. Little Moonlight s'enroula au pied d'un arbre et s'endormit instantanément. Il n'y avait plus de grain pour les chevaux et Lone attacha les bêtes sur l'herbe éparse et s'allongea sur le sol, le chapeau sur le visage.

Josey Wales regardait la route de Towash. D'où il était, derrière un cotonnier, il pouvait voir des cavaliers qui passaient en dessous de lui. Des groupes et des hommes solitaires. De temps en temps un chariot couvert de poussière grise. Il pouvait voir la ville à l'ouest, à peine visible derrière la poussière, et un champ de courses. Cela voulait dire qu'il y aurait beaucoup de monde pour assister aux courses. Parfois, on peut traverser toute une foule sans se faire remarquer.

Josey mâchait une énorme chique et essayait de faire un plan. Il n'y avait pas de Tuniques bleues sur la route. Le Mexique, cet objectif temporaire pour des hommes qui n'avaient plus de monde ni d'objectif, était bien loin. Ils iraient chercher des provisions à la ville et se dirigeraient au sud, vers San Antonio et la frontière.

« De toute façon, rêva-t-il à voix haute, si Little Moonlight trouve pas une selle... ou un ch'val... elle va se bousiller les fesses sur son ch'val tacheté. » Il réveillerait Lone à midi.

Josey ne connaissait pas le nom de la ville. Ils étaient là par hasard. Ils avaient rencontré l'ancienne route de Dallas à Waco après minuit et s'étaient cachés dès les premières lueurs à l'est.

La ville s'appelait Towash, un de ces nombreux centres de courses et de jeu du Texas. Au sud-est se trouvait Bryan qui avait acquis sa réputation quand Big King, le propriétaire du Wing Blue Saloon, perdit son établissement sur une carte devant Ben Thompson, le joueur d'Austin, ancien confédéré et terreur au pistolet. Plus au sud, Brenham était un autre centre pour les durs aux cartes et au pistolet.

A Towash, tout allait du tonnerre. Aujourd'hui, la ville n'existe plus. Pour marquer son passage, il ne reste que quelques cheminées de pierre qui s'effritent, à l'ouest de Whitney. Mais en 1867, Towash avait de grandes enseignes, dans le style texan. Elles vantaient les courses qui attiraient les sportifs et les joueurs de très loin, de Hot Springs en Arkansas. Il y avait un bac qui traversait le Brazos, près d'un moulin avec une énorme roue à eau. Dyer et Jenkins tenaient le magasin. Le barbier faisait peu d'affaires, contrairement aux six saloons qui vendaient du whisky qu'on venait de distiller. Comme dans beaucoup de villes du Texas en 1867, la seule loi était celle que chacun faisait respecter. De temps en temps, des « régulateurs » venaient d'Austin, toujours en groupe, plus pour protéger que pour appliquer la loi.

Quand cela arrivait, c'était l'habitude que les patrons de bars se précipitent dans leurs établissements habillés comme ils étaient, et annoncent à mi-voix : « Les Bleus sont en ville. » Certains clients disparaissaient, d'autres non. Dans ces cas-là, il arrivait qu'un Texan meure avec ses bottes aux pieds en emmenant avec lui des « régulateurs » dans cette violente guerre non déclarée de la Reconstruction du Texas.

Un léger sifflement mit Lone sur ses pieds. Little Moonlight s'accroupit près de lui et Josey parla en dessinant dans la poussière avec un bâton leur futur itinéraire.

« Tu viens aussi en ville ? » demanda Lone.

Josey fit oui de la tête. « Nous allons au sud, la dernière fois qu'ils ont entendu parler de moi c'était dans les Nations. »

Lone secoua la tête d'un air dubitatif. « Tout

117

le monde parle de toi et ton signalement est connu. »

Josey se leva et s'étira. « Le signalement de beaucoup est connu. J' vais pas passer le reste de ma vie à me cacher derrière les buissons. De toute façon, on reviendra pas par ce chemin. »

Ils montèrent en selle en fin d'après-midi et descendirent la colline vers Towash. Little Moonlight et le chien suivaient derrière.

12

Josey n'avait pas vu de Tuniques bleues sur la route parce qu'ils étaient déjà en ville. Commandés par le « lieutenant » Cann Tolly, vingt-quatre hommes avaient établi leurs quartiers dans deux des cabanes de rondins qui étaient en face de la route, à la limite de Towash. C'étaient des « régulateurs » et ils se promenaient dans les rues par groupes de quatre ou cinq, avançant dans la foule et dans les saloons avec l'arrogance que donne l'autorité. Ils étaient de la même race d'hommes que leur chef.

Autrefois, Cann Tolly avait essayé d'être policier, dans le but de dominer les autres sans les qualités naturelles qui le permettent. Il avait échoué lamentablement. La première fois qu'on l'avait appelé pour rétablir l'ordre dans une bagarre de saloon, il avait pris peur et avait fait tant de grimaces que tous les durs du saloon avaient éclaté de rire.

Quand la guerre de Sécession était arrivée, aucun des deux camps ne l'avait attiré. Il avait fait semblant de boiter et au fur et à mesure que la guerre se déroulait, il s'était fait payer à boire dans les saloons en racontant des batailles que d'autres lui avaient racontées. Il haïssait autant les Confédérés qui étaient rentrés que les cavaliers de l'Union. Mais il haïssait par-dessus tout ces imbéciles de Texans qui avaient ri de sa lâcheté.

Il avait rejoint les « régulateurs », ce qui lui avait permis d'obtenir du gouverneur l'insigne de l'autorité. En léchant les bottes de ses supérieurs, il avait rapidement gravi les échelons avec le sadisme qui est la marque de la peur, en faisant passer cela pour l'application de la « loi ». Toujours effrayé par les armes et les hommes, il torturait les victimes qui avaient peur jusqu'à les faire ramper plus bas que lui-même rampait intérieurement. Quand il ne voyait aucune peur chez les autres, ils les tuait avec rapidité et férocité et éliminait ainsi des « fauteurs de troubles ». Il assumait une fausse autorité maintenue par un faux gouvernement. Manquant de la véritable autorité qui l'aurait fait respecter des autres, il la remplaçait par la peur, la terreur et la brutalité et, inévitablement, il devait s'effondrer.

Le lieutenant Tolly avait passé la matinée à rendre visite à ces rebuts de l'humanité qui ne prenaient jamais parti mais qui adoraient fureter partout et trahir ceux qui choisissaient leur camp. Clay Allison, le tueur boiteux, avait semé la terreur dans Bryan trois jours plus tôt et on pensait qu'il avait pris cette direction. King Fisher avait traversé la ville la veille mais n'était pas resté malgré son penchant pour le jeu et l'action.

Les courses se terminèrent en fin d'après-midi et la foule revint dans la ville. Les « gars » poussaient des hurlements et tiraient des coups de feu en l'air, puis ils se ruèrent dans les saloons pour continuer leurs paris aux cartes. Les « régulateurs » commencèrent à avoir l'œil sur eux.

C'est dans ce tumulte que Josey, Lone et Little Moonlight entrèrent en ville. Lone et Little Moonlight restèrent en selle, comme prévu, en face du magasin dont la grande enseigne indiquait : « Dyer & Jenkins, marchandises. » Seul Josey traversa la rue jusqu'à la barrière pour attacher son cheval. Il mit pied à terre et entra. Sur un côté, un comptoir en bois brut occupait toute la longueur du magasin et des marqueurs de bêtes y jouaient des coudes en buvant et en parlant. Du côté du magasin, il n'y avait qu'un employé.

Josey lui indiqua tout ce qu'il voulait et l'employé s'empressa de le servir. Il aurait aimé voir l'homme s'en aller le plus vite possible. Un homme qui se promenait avec deux colts attachés bas était soit un voyou soit un bluffeur, et il n'y avait pas beaucoup de bluffeurs au Texas. Josey regarda d'un air indifférent des uniformes bleus qui passaient en flânant devant la fenêtre. Quatre d'entre eux s'arrêtèrent de l'autre côté de la rue et regardèrent avec curiosité Lone immobile et stoïque, puis ils continuèrent leur chemin. Deux cow-boys firent le tour du grand cheval noir en l'admirant puis l'un d'eux dit quelque chose à Little Moonlight. Ils rirent sans méchanceté et entrèrent dans un saloon.

Josey choisit une selle légère pour le cheval tacheté. Il prit les deux sacs de marchandises que lui tendait l'employé et paya avec deux pièces d'or. Ensuite il se dirigea lentement vers la porte et s'arrêta. Il tenait la selle d'une main et traînait les deux sacs de l'autre. Tranquillement, comme un homme qui regarde quel temps il fait, il jeta un coup d'œil en haut et en bas du trottoir de bois... aucun uniforme.

Il s'avança vers son cheval et vit que Lone, suivi de Little Moonlight, traversait la rue pour venir prendre les marchandises. Il se tourna, fit deux pas sur le trottoir pour s'approcher de son cheval et se retrouva nez à nez avec Cann Tolly accompagné de trois « régulateurs ». Au moment même où il sortait du magasin, ils sortaient eux-mêmes du Iron Man Saloon. Ils étaient à quinze pas de Josey.

Les « régulateurs » s'immobilisèrent et Josey, avec une hésitation infime, baissa la tête et fit un autre pas.

« Josey Wales ! » Cann Tolly hurla le nom afin d'alerter tous les « régulateurs » de la ville. Josey laissa tomber la selle et les sacs et regarda tristement l'homme qui venait de crier. Il vit la rue avec une grande précision. Sur le côté, Lone arrêta son cheval. Des hommes sortaient des saloons et se reculaient derrière les bâtiments. Le trottoir se vida, des cow-boys plongèrent derrière les abreuvoirs et certains s'allongèrent par terre.

Il vit une jeune femme aux yeux bleus qui le regardait, effrayée, le pied posé sur le moyeu d'une roue de chariot. Elle s'apprêtait à monter sur le siège et une vieille femme lui tenait la main. Toutes deux étaient immobiles comme des statues de cire. Les cheveux blonds de la fille brillaient dans le soleil. En un instant, un silence de mort s'abattit sur la rue.

Les « régulateurs » se retournèrent pour le regarder et leurs visages étaient empreints à la fois de terreur et de surprise. Dans une minute tous les « régulateurs » de la ville reprendraient leurs esprits et l'encercleraient.

Josey Wales s'accroupit doucement. Sa voix s'éleva, forte et neutre dans le silence, et elle grondait comme une insulte.

« Vous sortez vos pistolets ou vous sifflez *Dixie ?* »

Le « régulateur » qui était à sa gauche bougea le premier, sa main s'abaissa soudain. Cann Tolly le suivit. Josey ne bougea que la main droite. Le gros colt 44 cracha des flammes. Josey actionnait le percuteur avec la paume de la main gauche.

Le premier homme à dégainer se renversa en arrière quand la balle lui frappa la poitrine. Cann Tolly tourna sur lui-même en faisant un petit cercle, comme un chien qui court après sa queue, et s'écroula la moitié de la tête en moins. Le troisième fut touché plus bas, la balle le plia en avant, et il tomba face contre terre. Le quatrième homme avait déjà été tué par un pistolet que tenait Lone Watie.

Cela avait fait un bruit assourdissant et tout s'était passé si vite qu'on n'avait entendu qu'une seule détonation. Les « régulateurs » n'avaient pas eu le temps de dégainer. La rapidité impressionnante du hors-la-loi se répandit dans la foule comme les vibrations d'un tremblement de terre. La confusion gagna la rue. Des silhouettes vêtues de bleu traversèrent ; des gens sautaient, couraient, par ici, par là, comme des poulets quand un loup est entré dans la basse-cour.

Josey sauta sur son cheval et le mit au galop, ventre à terre ; la tête du cheval noir était à la hauteur de sa selle et Lone était allongé sur l'encolure.

Ils descendirent la rue vers l'ouest et tournèrent au nord, loin du Brazos. Ils devaient gagner de la distance et n'avaient pas le temps de traverser un fleuve.

Les « régulateurs » se précipitèrent vers leurs chevaux qui étaient attachés côte à côte devant les saloons. Au moment où ils montaient en selle, une Indienne, probablement saoule, perdit le contrôle de son cheval tacheté et se jeta au milieu d'eux, dispersant les hommes à droite et à gauche. Les chevaux effrayés descendirent la rue, les rênes pendantes. Enfin, un « régulateur » lui donna un coup de crosse sur la tête et elle tomba à terre. Les cavaliers montèrent en selle, rattrapèrent les chevaux enfuis et se lancèrent à la poursuite des tueurs.

Derrière eux, Little Moonlight resta étendue immobile, une balafre sanglante en travers du front, mais elle tenait toujours dans la main les rênes d'un cheval tacheté. Un chien maigre arriva en gémissant et lécha le sang qui lui coulait sur le visage. A côté d'elle, les quatre « régulateurs » étaient étendus, et leur sang s'étalait en noircissant dans la poussière du Texas.

Des cow-boys enfourchèrent leurs chevaux pour retourner dans leurs ranches. Les joueurs s'en allèrent vers les saloons des villes et des villages qui étaient leurs repaires. Ils emportèrent l'histoire. L'histoire qui avait des airs de légende. Le tueur le plus rapide... la mort des quatre « régulateurs » enflamma l'imagination. Le guérillero du Missouri, Josey Wales, était arrivé au Texas.

Quand la nouvelle atteignit Austin, le gouverneur ajouta deux mille cinq cents dollars aux cinq mille du gouvernement fédéral pour la mort de Josey Wales et mille cinq cents dollars pour l'Indien renégat et inconnu qui avait abattu un « régulateur » à Towash. Les politiciens sentirent la menace quand l'histoire se répandit dans tout l'Etat. Les rebelles du Texas gloussèrent de joie. Le Texas avait un autre fils. Assez costaud pour leur tenir tête et pour les descendre tous !

Cet après-midi-là, deux chariots bâchés quittèrent Towash, traversèrent le Brazos par le bac puis se dirigèrent au sud dans le territoire à peu près vide des Comanches. Grand-père Samuel Turner tenait les rênes des mules du chariot de tête et grand-mère Sarah était assise à côté de lui. Derrière eux, leur petite-fille, Laura Lee, était assise près de Daniel Turner, le frère du grand-père. Deux vieillards, une vieille femme et une jeune, ne laissant rien derrière eux en Arkansas et avec comme seule promesse un ranch isolé légué par le frère de la grand-mère, mort à la guerre. On les avait mis en garde contre le pays et les Comanches, mais ils se sentaient chanceux : ils avaient un endroit où aller.

C'est Laura Lee que Josey avait vue, les cheveux blonds, une robe à haut col, immobilisée tandis qu'elle montait dans le chariot. Maintenant, elle frissonnait d'horreur en se rappelant les yeux noirs et brûlants du hors-la-loi, le grondement effrayant de sa voix, les pistolets

crachant du feu et du tonnerre... et le sang.
Josey Wales! Elle n'oublierait jamais son nom
et sa silhouette. Violent Texas! Elle ne se
moquerait plus des histoires qu'on racontait.
Laura Lee allait devenir texane... mais seulement après le baptême de sang d'une autre
frontière du Texas, encore troublée... le pays des
Comanches!

Troisième Partie

13

Josey et Lone avaient quitté la ville sur leurs grands chevaux. Les sabots faisaient trembler la piste à leur passage. Un mile, deux... trois miles à un train qui aurait tué des chevaux moins forts. Les selles étaient entourées d'écume quand ils les mirent au petit galop. Ils avaient filé au nord, mais un coude du Brazos les obligea à se diriger vers le nord-est. On n'entendait pas de poursuivants.

« Mais ils vont v'nir », dit Josey en souriant et en s'arrêtant dans un bois épais de cèdres et de chênes. Ils mirent pied à terre et desserrèrent les sangles des selles pour que les chevaux reprennent leur souffle tandis qu'ils les faisaient aller et venir à l'ombre. Josey palpa les jambes du rouan. Il ne tremblait pas. Il vit Lone faire la même chose avec le cheval noir et l'Indien sourit : « Il est solide. »

« Ils vont commencer par battre les fourrés le long du Brazos », dit Josey en se taillant une chique. « Ils vont chercher l'endroit où on a traversé... ils devraient êt' là dans une heure. » Il fouilla dans ses fontes, vida les douilles du colt 44 et le rechargea.

Lone fit comme lui. « J'ai pas beaucoup à recharger, dit-il. J' m'apprêtais à faire ma part de travail sur les Tuniques bleues, mais... Dieu tout-puissant... j'ai jamais vu tirer comme ça. Comment est-ce que tu as su lequel tirerait d'abord ? » Il y avait à la fois de la crainte et de la curiosité dans la voix de Lone.

Josey rengaina ses pistolets et cracha. « Eh ben... le troisième à ma gauche avait un étui plat et c'était pas la peine de se presser... le deuxième à ma gauche avait la peur dans les yeux, je savais qu'il tir'rait pas avant quelqu'un d'autre. Celui qu'était à ma gauche avait les yeux fous de celui qui bougerait quand je dirais quelque chose. Je savais par où commencer.

— Et celui qui était à côté de moi ? » demanda Lone avec curiosité.

Josey sourit. « Je l'ai pas r'marqué. Je t'ai vu à côté. »

Lone ôta son chapeau et examina les pompons dorés cousus à la bande. « J'aurais pu l' rater », dit-il doucement.

Josey se retourna et resserra sa selle. L'Indien savait qu'au moment du plus grand danger, Josey Wales avait décidé de mettre sa vie entre ses mains. Il tira sur la sangle. La fraternité qui le liait au Cherokee avait grandi. Les paroles étaient inutiles.

Le soleil se coucha dans une brume rouge, derrière le Brazos, tandis que Josey et Lone s'en allaient à l'est. Ils avancèrent pendant une heure, mettant les chevaux au pas dans les bois, au galop dans les terrains dégagés, puis ils tournèrent au sud. Il faisait nuit maintenant et un quartier de lune couvrait d'argent le paysage. En sortant d'un bois, ils faillirent se cogner dans un groupe de cavaliers qui sortaient de sous les cèdres. La patrouille les reconnut immédiatement. Des hommes hurlèrent, un fusil claqua. Josey tourna le rouan et suivi par Lone fila vers le nord. Ils galopèrent pendant un mile sur le sol irrégulier et en arrivant sous des arbres, Josey arrêta les chevaux. Le bruit des sabots s'était éteint derrière eux et au loin on pouvait entendre des cris qui s'éloignaient.

« Les ch'vaux peuvent pas r'commencer, dit Josey d'un air sombre. Il faut qu'ils se reposent et qu'ils broutent... ils ont les yeux blancs. » Il tourna vers l'ouest pour revenir vers le Brazos. Ils s'arrêtèrent dans les fourrés près du fleuve et après avoir desserré les sangles attachèrent les chevaux dans l'ombre pour qu'ils broutent.

« J' pourrais manger la moitié d'une mule du Missouri », dit Lone avec un sourire triste en regardant les chevaux brouter.

Josey mâchait une chique et cracha un long jet de jus sur une cigale. « Heureusement qu' j'avais mis l' tabac dans ma poche... j'ai laissé toutes les provisions dans cet' ville. Et la selle de Little Moonlight... » Josey se tut. Aucun d'eux n'avait parlé de l'Indienne et ils ne savaient pas non plus qu'elle avait retardé leurs poursuivants en se jetant dans leurs chevaux. Lone avait remarqué avec anxiété leur progression au nord et il avait été soulagé quand Josey était revenu vers le sud. Little Moonlight se souviendrait de la piste que Josey avait dessinée dans la poussière au sud-ouest de Towash. C'est cette piste-là qu'elle prendrait.

Comme un écho à ses pensées, Josey dit calmement : « On va au sud... sinon... et vite. » Lone sentit soudain une grande affection pour ce hors-la-loi balafré qui oubliait sa propre sécurité pour une Indienne bannie.

Ils dormirent chacun leur tour sous les arbres. Ils traversèrent le Brazos deux heures avant l'aube et une heure plus tard ils s'arrêtèrent dans un ravin si bien fermé par les buissons, la vigne sauvage et les mesquites que l'air immobile et le soleil d'avril faisaient de la cachette un véritable four. Ils avaient choisi ce ravin à cause du sol rocheux sur lequel on ne laissait pas de traces. A un demi-mile dans le ravin, à un endroit où il se rétrécissait pour n'être plus qu'un étroit passage, ils découvrirent l'entrée d'une grotte qui s'ouvrait sous d'épaisses lianes. Lone retourna à pied sur la piste qu'ils avaient suivie et remit en place les buissons qu'ils avaient déplacés. Il revint, en tenant triomphalement au bout du bras une poule tétras. Ils la plumèrent mais, ne pouvant faire de feu, la mangèrent crue.

« J' me doutais pas que la volaille crue avait aussi bon goût », dit Josey en se nettoyant les mains avec des feuilles. Lone cassait les os avec ses dents pour sucer la moelle.

« Tu devrais essayer les os, dit Lone. Il faut tout manger quand t'as faim... Les Cheyennes, ils mangent même les entrailles. Si Little Moonlight était ici... » Tous deux laissèrent la phrase en suspens et bientôt ils dormaient d'un sommeil léger tandis que les chevaux mangeaient la vigne sauvage.

Un peu avant midi, ils furent réveillés par les sabots de chevaux qui s'approchaient en venant de l'est. Les cavaliers s'arrêtèrent un moment au bord du ravin, au-dessus d'eux, et Josey et Lone tenaient leurs chevaux par les naseaux. Ils entendirent les cavaliers s'en aller au sud.

Le crépuscule apporta une brise fraîche et bienvenue qui fit sortir les tétras des buissons. Josey et Lone sortirent avec précaution dans la prairie. Aucun cavalier n'était en vue.

« A l'est », dit Josey en surveillant le paysage, « il y a trop de fermes... il faut qu'on aille à l'ouest, ensuite on tournera vers le sud. »

Ils dirigèrent donc leurs chevaux vers l'ouest et le terrain s'éleva graduellement jusqu'à une sorte de plateau à la végétation éparse et au terrain accidenté.

En 1867, si vous aviez tiré une ligne du sud de la Red River jusqu'à la ville de Comanche et que vous ayez continué tout droit jusqu'au Rio Grande, vous n'auriez pas trouvé beaucoup de monde à l'ouest de cette ligne. Ici ou là, une ferme en avant-poste, un fermier audacieux ou imprudent attiré par le désir inexplicable d'aller là où personne n'avait encore osé, et des hommes désespérés fuyant un nœud coulant. A l'ouest de cette ligne, le Comanche était roi.

Deux heures après le lever du soleil, Josey et Lone aperçurent un village comanche et tournèrent au sud-ouest... en traversant la ligne. A midi, ils s'arrêtèrent près du Redman Creek, un petit ruisseau paresseux qui errait sans but dans les fourrés et repartirent en milieu d'après-midi. La chaleur renvoyée par le sol meuble et sableux ôtait toute leur force aux chevaux. On commençait à voir des blocs de rochers, et des cactus tendaient leurs bras épineux au-dessus de la plaine. Au crépuscule, ils arrêtèrent leurs chevaux et mangèrent un lapin que Lone avait tué de sa selle. Ils prirent le risque de faire un feu, petit et sans fumée, avec des brindilles de cholo. Une herbe dure poussait en bouquets épais et les chevaux en firent leurs délices.

Josey vivait en selle depuis des années mais il commençait à ressentir la fatigue accentuée par le manque de nourriture et il pouvait voir l'âge accuser les traits de Lone. Mais le Cherokee voulait continuer et ils remontèrent en selle à la nuit et dirigèrent les chevaux tout droit au sud-ouest.

C'est après minuit que Lone indiqua un point rouge au loin. A cette distance, cela ressemblait à une étoile. Mais au bout d'un moment, cela sauta et scintilla.

« Un grand feu, dit Lone. C'est peut-être des Comanches qui font une fête, ou quelqu'un qui a des ennuis, ou une espèce de fou qui veut mourir. »

Une heure après, le feu était parfaitement visible, il s'élevait très haut en l'air en faisant crépiter les buissons desséchés. On aurait dit un signal mais quand ils s'approchèrent ils ne virent aucun signe de vie dans le cercle de lumière et Josey sentit les cheveux de sa nuque se dresser. Ils contournèrent les flammes en restant dans l'ombre et en écarquillant les yeux. Josey vit une tache blanche qui reflétait la lumière de la lune. Ils s'en approchèrent avec précaution. C'était le cheval tacheté, attaché à un mesquite et qui broutait.

Josey et Lone mirent pied à terre et examinè-rent le sol autour du cheval. Sans prévenir, une silhouette jaillit des buissons et sauta sur Lone à moitié penché. Le Cherokee tomba à la renverse en perdant son chapeau. C'était Little Moonlight. Elle tenait le cou de Lone, à califourchon sur son dos, en poussant des petits cris et en riant. Elle frottait son visage contre le sien comme un enfant en train de jouer. Josey les regardait rouler sur le sol.

« Sale squaw, espèce de folle... j'étais prêt à te faire sauter la cervelle. » Mais sa voix montrait combien il était soulagé. Lone se dégagea pour se mettre debout et la souleva, puis il l'embrassa sur la bouche. Ils s'approchèrent du feu que Josey et Lone éteignirent avec des poignées de sable pendant que Little Moonlight jacassait autour d'eux comme un enfant puis, timidement, elle saisit le bras de Josey et se frotta la tête contre son épaule. Elle avait le front barré d'une profonde plaie que Lone examina délicatement. « C'est pas infecté mais y a un jour ou deux, on aurait pu la recoudre... C'est trop tard.

— Ça va cicatriser, remarqua Josey, on aura l'impression qu'elle s'est battue dans une tannière de chat sauvage... Demande-lui ce qui lui est arrivé. »

Little Moonlight raconta l'histoire avec ses mains et Josey écouta Lone tête baissée. Elle riait et ne cessait de parler des « régulateurs » paniqués, de la foule qui courait, des gens stupéfiés. Sa propre intervention, qui avait été à l'origine de la scène de comédie, n'apparaissait que comme un petit épisode supplémentaire. Elle ne voyait rien d'extraordinaire dans ce qu'elle avait fait. C'était quelque chose de tout à fait naturel, comme de faire à manger pour son homme. Quand elle eut terminé, Josey la tira vers lui et la regarda pendant un long moment et Little Moonlight était silencieuse, et Lone Watie avait les yeux humides.

« On a intérêt à s'éloigner d'où était le feu », dit Josey et tandis qu'ils marchaient vers les chevaux, Little Moonlight se précipita vers un buisson et en ressortit la selle neuve que Josey avait laissée tomber à Towash.

« Les provisions ! s'écria Josey. Elle a les provisions ! »

Lone lui fit des gestes et lui indiqua qu'il voulait manger. « Manger », dit Lone. Elle courut, ramassa un sac et en sortit des pommes de terre crues à la peau ratatinée. « Manger ? » lui demanda Lone et elle secoua la tête. Lone se tourna vers Josey : « Trois patates ! »

Josey soupira. « M'est avis qu'on pourrait manger la selle à laquelle elle a l'air de tenir tellement... »

Ce n'est qu'après une heure de cheval que Josey estima qu'ils étaient assez loin de l'emplacement du feu, et ils firent halte. Le lendemain à midi, ils traversèrent le Colorado et se reposèrent dans l'ombre d'un bois de cotonniers jusqu'au coucher du soleil. La chaleur du soleil devenait plus intense et ils ne sellèrent les chevaux et ne repartirent vers le sud-ouest que dans la fraîcheur du crépuscule.

Ils n'allaient pas vers San Antonio car, après Towash, Josey savait qu'ils devaient éviter les villes.

14

Les hors-le-loi devaient généralement affronter des dangers inattendus. En plus de leur force physique, de leur habileté au pistolet et de leur courage, ceux qui « pensaient » étaient ceux qui vivaient le plus longtemps. Ils s'efforçaient d'être à la « limite ». Certains, comme Hardin, marchaient de côté dans un combat au pistolet. Ils sortaient leur arme au milieu d'une phrase et prenaient leurs adversaires au dépourvu. La plupart d'entre eux étaient de fins psychologues et d'excellents joueurs de poker. Ils regardaient d'où venait la lumière et s'arrangeaient pour placer le soleil derrière eux. L'audace, la hardiesse, l'inattendu. Ils appelaient cela la « limite ».

Leur maître avait été Bloody Bill Anderson. Une fois, il avait dit à Josey : « Chaque fois que j' suis d'vant un type au soleil, tout c' que j' veux c'est un chapeau de paille pour avoir la tête à l'ombre. Comme ça, j' peux l' battre. » Son meilleur élève avait été Josey Wales, l'homme des montagnes rusé qui avait la même volonté de vaincre que le chat sauvage de son pays natal.

Josey s'inquiétait à propos des chevaux. Ils semblaient en forme quoiqu'un peu maigres. Ils broutaient l'herbe et ne montraient aucun signe de fatigue. Mais trop souvent dans le passé il n'avait dû sa survie qu'à son cheval et il savait que sur deux chevaux exactement semblables, un survivrait plus longtemps que l'autre d'une façon directement proportionnelle à la quantité de grain qu'on leur donnerait. La force du vent ferait la différence et permettait au hors-la-loi qui donnait du grain à son cheval, ne serait-ce que quelques poignées par jour, d'atteindre la « limite ». La « limite », c'était l'obsession de Josey et cela englobait les chevaux.

En fin d'après-midi, ils traversèrent la piste des chariots et Josey les suivit. Lone examina les traces. « Deux chariots, à huit ou dix heures. »

Les traces allaient à l'ouest mais Lone ne fut pas surpris de voir Josey suivre les chariots et quitter leur direction. Il connaissait les préoccupations du hors-la-loi et sa façon d'agir. Josey lui expliqua : « On a besoin de grain... on pourra p'têt' vendre le cheval tacheté... » Lone secoua la tête sans faire de commentaire. Ils mirent les chevaux au petit galop.

Il était près de minuit quand Josey fit halte. Ils s'enroulèrent dans leurs couvertures contre le froid de la nuit, et ils étaient en selle avant que l'est ne se teinte de rouge. En se dirigeant vers l'ouest le sol s'élevait nettement, et au matin ils arrivèrent dans la Grande Plaine du Texas. Le vent avait emporté le sol meuble et d'énormes rochers s'élevaient brutalement dans l'espace désertique. Des ruisseaux coulaient sous les rochers et creusaient le sol. Au loin, une montagne dénudée élevait ses flancs arides contre le ciel. Des lézards se précipitaient vers l'ombre rare des cactus épineux et un groupe de charognards volaient très haut en cercle, guettant la mort.

La chaleur s'élevait du sol desséché, rendant le paysage lointain liquide et irréel. Josey commença à chercher de l'ombre.

C'est Lone qui vit le premier les traces des chevaux. Ils venaient du sud-est et tournaient derrière les deux chariots. Ils les suivaient.

Lone mit pied à terre et suivit les traces en les observant. « Huit chevaux... sans fers, sûrement des Comanches, cria-t-il vers Josey. Mais ces traces de voitures... il y en a trois... c'est pas des chariots... c'est des charrettes. J'ai jamais entendu parler de Comanches qui voyageaient en charrettes.

— J'ai jamais entendu parler de personne voyageant en charrette », répondit laconiquement Josey.

Little Moonlight avait redescendu la piste en marchant et elle revint en courant. « Koh-mahn-chey-rohs ! cria-t-elle en désignant la piste. Koh-mahn-chey-rohs !

— Des Comancheros ! » s'exclamèrent ensemble Lone et Josey.

Little Moonlight agita ses mains avec une telle rapidité que Lone lui fit signe d'aller moins vite. Quand elle eut fini, Lone leva les yeux en grimaçant vers Josey. « Elle dit qu'ils volent, qu'ils pillent. Ils tuent même les jeunes et les vieux. Ils vendent les femmes et les hommes solides aux Comanches pour des chevaux pris dans des raids. Ils vendent des fusils aux Comanches. Ils ont des charrettes avec des roues plus hautes qu'un homme. Ils revendent les chevaux que leur donnent les Comanches... comme les deux types que tu as tués dans les Nations. Certains sont des Anglais, d'autres des Mexicains et d'autres des métis d'Indiens. »

Lone étendit les mains et regarda le sol. « C'est tout ce qu'elle sait. Elle dit qu'elle préférerait se tuer plutôt que d'être prise... elle dit que les Comanches ne paient un bon prix que pour les vierges et... avec son nez on voit qu'elle ne l'est plus... que les Comancheros la... violeraient... plusieurs fois avant de la vendre. Ça changerait pas le prix. » Lone parlait d'une voix dure.

Josey mâchait posément une chique. Tout en écoutant il ferma à demi les paupières et regarda la piste vers l'ouest. « Les ordures de la frontière », lança-t-il comme un crachat, « comme les deux qu' j'ai vus dans les Nations. On f'rait mieux de continuer... Les pauvres pèlerins dans les chariots... »

Lone et Little Moonlight remontèrent en selle et au passage elle toucha la jambe de Josey. La force du roc ; le guerrier aux armes magiques.

Le soleil était descendu à l'ouest en soulevant une brume de chaleur rouge. Les traces qu'ils suivaient tournèrent soudain à gauche et disparurent derrière des rochers en surplomb. Lone montra silencieusement du doigt une fine colonne de fumée qui s'élevait droit dans l'air. Ils quittèrent la piste et se dirigèrent au pas vers les rochers. Josey mit pied à terre et fit signe à Little Moonlight de tenir les chevaux tandis qu'avec Lone ils s'élancèrent furtivement, tête baissée, jusqu'au sommet. Arrivés en haut, ils s'allongèrent sur le ventre et rampèrent jusqu'au rebord. Ils n'étaient pas préparés à la scène qui les attendait, une centaine de mètres plus bas. Trois énormes charrettes en bois étaient rangées les unes derrière les autres près du ruisseau. Elles avaient deux paires de roues, des roues solides, plus hautes que les ridelles des charrettes. Chacune était tirée par deux bœufs. Derrière les charrettes, il y avait deux chariots bâchés attelés de mules. C'est ce qui se passait à une vingtaine de mètres derrière les chariots qui tira de sourdes exclamations de Lone et de Josey.

Deux hommes âgés étaient allongés sur le dos, les bras et les jambes écartés et attachés. Ils étaient nus, et leurs corps maigres étaient recouverts de sang séché. La fumée s'élevait de petits feux qu'on avait allumés entre leurs jambes et sur leur ventre. Une odeur épaisse de chair humaine brûlée flottait dans l'air. Les deux hommes étaient morts. Un cercle d'hommes, debout ou accroupis, entourait les deux corps. Ils portaient des sombreros, d'énormes chapeaux ronds qui leur cachaient la figure. Ils avaient pour la plupart des pantalons de peau recouverts de chapparals et des vestes fantaisie bordées de rivets d'argent qui renvoyaient des éclairs de lumière. Ils portaient tous des pistolets et un des hommes avait un fusil.

Tandis que Josey et Lone observaient, un des hommes quitta le cercle, il ôta son sombrero et ses cheveux roux et sa barbe apparurent. Il fit une révérence vers les deux cadavres sur le sol. Le cercle éclata de rire. Un autre donna un coup de pied dans la tête chauve d'un des corps tandis qu'un troisième sautait sur la poitrine et tapait des pieds comme s'il dansait accompagné par des battements de mains.

« J'en compte huit, de ces bêtes », dit Josey en grinçant des dents.

Lone approuva d'un signe. « Ils doivent être plus. Il y a huit chevaux et trois charrettes. »

Les Comancheros abandonnaient les corps mutilés sur le sol et s'avançaient vers les chariots. Josey regarda pour voir ce qui les attirait et pour la première fois il vit les femmes dans l'ombre du dernier chariot.

Une vieille femme était à quatre pattes et ses longs cheveux blancs lui cachaient le visage. Elle vomissait. Une femme plus jeune la soutenait en lui tenant la tête et la taille. Elle était agenouillée et ses longs cheveux blonds lui recouvraient les épaules. Josey reconnut la fille qu'il avait vue à Towash, la fille aux yeux bleus qui l'avait regardé.

Les Comancheros, qui n'étaient plus qu'à quelques pas des femmes, se mirent à courir. Un homme saisit la fille par les cheveux, la dressa sur ses pieds et lui renversa la tête en arrière. On lui arracha sa longue robe et on la souleva, nue. On aperçut brièvement ses deux seins au-dessus de la mêlée, dressés en l'air comme deux pyramides blanches, puis des mains saisirent le corps et le firent tomber. Plusieurs hommes la tenaient par la taille et essayaient de l'allonger par terre. Ils se battaient entre eux.

La vieille femme se releva, se lança dans la mêlée mais fut rejetée sur le sol. Elle se releva à nouveau, vacilla quelques instants, puis pencha la tête et, comme un petit taureau fragile, s'élança à nouveau dans le groupe, les poings en avant. La fille n'avait pas crié, mais elle luttait. Ses longues jambes nues battaient l'air en essayant de frapper.

Josey leva son 44 et hésita en cherchant une cible nette. Lone lui toucha le bras. « Attends », dit-il avec calme et il tendit la main. Un énorme Mexicain venait de sortir du premier chariot. Son sombrero était repoussé en arrière et on pouvait voir sa barbe grise. Sa veste et les jambes de son pantalon étaient ornées de rivets d'argent.

« *Para !* » cria-t-il d'une voix de bête en approchant des hommes qui se battaient. « Arrêtez ! » Il sortit un pistolet et tira un coup en l'air. Immédiatement, les Comancheros laissèrent la fille, et elle se mit debout, nue, la tête baissée, et les mains sur la poitrine. La vieille femme était sur les genoux. L'énorme Mexicain frappa violemment un des hommes à la tête d'un coup de crosse. Il tapa du pied et il hurla avec colère en montrant la fille et les chevaux. « Il leur dit qu'ils vont perdre vingt chevaux s'ils violent la fille, dit Lone. Et qu'ils auront toutes les femmes qu'ils voudront quand ils seront au camp, au nord-ouest. »

Les Comancheros éclatèrent de rire. « Il leur dit que la vieille ne vaut pas un âne... et qu'ils peuvent en faire ce qu'ils veulent... s'ils pensent que ça le mérite », ajouta Lone d'un air mauvais.

« Par Dieu ! » souffla Josey. « Par Dieu, j' pensais pas que ça marchait sur deux jambes. »

Le chef prit une couverture dans le chariot et la jeta à la fille. La vieille femme se leva, ramassa la couverture et en couvrit la jeune

fille. On cria des ordres ici et là. Les Comman-
cheros sautèrent sur les sièges des charrettes et
des chariots. Un homme attacha les poignets de
la jeune fille et de la vieille femme avec une
longue lanière de cuir dont il fixa l'extrémité à
l'arrière du dernier chariot.

« Ils s'en vont », dit Josey. Il regarda vers le
soleil qui avait presque atteint le bord de
l'horizon. « Ils doivent être pressés d'arriver à
leur camp. Ils vont voyager de nuit. » Il fit signe
à Lone de reculer. Il prit dans ses fontes le
pistolet et la ceinture de Jamie et les lança à
Lone. « T'auras besoin d'un pistolet de plus »,
dit-il. Puis il s'accroupit devant Lone et Little
Moonlight et dessina dans la poussière avec son
doigt tandis qu'il parlait. « Donne ton chapeau
à Little Moonlight, avec tes cheveux d'Indien,
ils vont s' tromper. Tu feras le tour à pied, par-
derrière. J' te donnerai le temps... Quand
j' tirerai, tu fonces devant. Il faut qu'on les ait
tous... si un seul se tire il ramènera les Comanches. »

Lone enfonça son chapeau sur la tête de Little
Moonlight jusqu'aux oreilles, et elle leva les
yeux d'un air interrogateur, en regardant sous
le grand bord du chapeau. « Reh-wan », dit
Lone... vengeance... et il se plaça un doigt en
travers de la gorge. C'était un signe sioux...
tuer... pas pour des chevaux.. pas pour le butin...
pour un principe ; par conséquent tous les ennemis devaient mourir.

Little Moonlight secoua violemment la tête en
signe d'approbation et le grand chapeau lui
tomba sur les yeux. Elle rit, courut jusqu'au
cheval tacheté et tira un vieux fusil d'un étui.

« Non... non. » Lone la retint par le bras et lui fit signe de rester.

« Pour l'amour de Dieu, soupira Josey, dis-lui de rester ici pour garder les chevaux... et empêcher ce chien de nous mordre les jambes. » Le chien grognait. Lone s'attacha la ceinture autour de la taille.

« Et si i' se sauvent pas ? » demanda-t-il comme en passant.

« Des types comme ça, dit Josey en ricanant, ça s' sauve toujours. I' vont faire demi-tour et s' sauver droit d'vant eux. I' vont être coincés contre les rochers. »

Lone leva la main en guise de salut, puis se pencha et s'en alla silencieusement vers les rochers derrière lesquels il disparut. Josey dégagea les percuteurs de ses colts 44 et du pistolet de marine sous son aisselle. Douze balles dans les colts 44... Il y avait huit hommes à cheval et trois conducteurs pour les charrettes. Cela faisait onze. Il se rappela soudain quelque chose. Il n'en avait compté que neuf. Le chef et les huit hommes. Il se retourna pour arrêter Lone, mais l'Indien était parti.

Où étaient les deux autres hommes ? La « limite » pouvait être de l'autre côté. Josey maudit son imprévoyance. Il avait été bouleversé par la vue des deux femmes... mais il n'y avait pas d'excuses... Josey se blâma avec amertume. Little Moonlight était assise, elle tenait les rênes des chevaux et avait gardé son fusil. Josey revint vers le rebord des rochers et compta les minutes. Le soleil descendait à l'ouest derrière les montagnes et une brume rouge envahissait le ciel.

Des cavaliers descendirent à toute vitesse la

ligne des charrettes et des chariots. Un homme demi-nu baissait la bâche d'un chariot et Josey chercha des yeux les deux femmes. Elles étaient derrière, les mains attachées devant elles. Josey se laissa glisser sur les rochers. C'était le moment.

Josey entendit un cri plus fort que les autres et revint vers le rebord pour voir. Il vit deux Comancheros qui traînaient un corps flasque. D'autres à cheval ou à pied couraient vers eux et l'empêchèrent de voir pendant quelques instants. Les deux hommes montrèrent les rochers et des cavaliers s'avancèrent tandis que les autres traînaient leur fardeau à l'arrière du dernier chariot où se tenaient les deux femmes.

Ils laissèrent tomber le corps sur le sol. Les longs cheveux nattés, les vêtements de peau. C'était Lone Watie. Josey jura entre ses dents. Les deux Comancheros manquants qu'il aurait dû compter. Tandis qu'il regardait, Lone se leva et secoua la tête. Il jeta un coup d'œil autour de lui et le chef s'approcha. L'énorme Mexicain fit tomber l'Indien à ses pieds, il parla rapidement puis le frappa au visage. Lone recula en chancelant jusqu'au chariot mais resta debout en regardant stoïquement droit devant lui. Josey les vit vider les deux colts 44. Si un Comanchero avait levé un fusil ou un couteau... il ne s'en serait pas servi.

Le gros Mexicain était manifestement pressé. Il cria des ordres et deux hommes se précipitèrent pour attacher les mains de Lone puis ils fixèrent l'extrémité de la lanière à l'arrière du chariot à côté des deux femmes. Lone leva les bras et agita ses mains de chaque côté. Il ne regarda pas vers les rochers où il savait que se

146

tenait Josey. Il avait fait le signal bien connu dans la cavalerie confédérée. « Ils sont tous là, attention sur tes flancs. » Josey lut le message et comprit : *ses flancs !* Les Comancheros qui s'étaient cachés derrière les chariots !

Josey se laissa glisser sur les rochers et courut vers les chevaux. Il fit signe à Little Moonlight de monter en selle, et tout en tirant le cheval noir, ils se précipitèrent vers le plus proche abri, deux énormes amoncellements de rochers à une cinquantaine de mètres du ruisseau. Ils avaient à peine contourné les rochers que quatre cavaliers apparurent. Ils s'arrêtèrent et scrutèrent la prairie, mais ne s'avancèrent pas suffisamment pour voir les traces. Puis ils tournèrent leurs chevaux et disparurent vers le ruisseau.

Un cri horrible déchira l'air et fit sursauter les chevaux. Les charrettes démarraient... les lourdes roues grinçaient contre les essieux sans graisse. Little Moonlight approcha son cheval de Josey.

« Lone », dit-elle. Josey croisa les poignets pour lui indiquer qu'il était prisonnier puis chercha à la rassurer en voyant ses yeux s'emplir de peur. Un sourire fendit son visage balafré. Il se frappa la poitrine puis désigna ses pistolets dans leur étui et enfin étendit la main la paume vers le bas pour lui dire que tout irait bien. Little Moonlight portait toujours le grand chapeau de Lone et quand elle approuva de la tête, il se balança de façon comique. Il n'y avait plus trace de peur dans ses yeux. Le guerrier aux pistolets magiques allait libérer Lone. Il tuerait les ennemis. Tout redeviendrait comme avant.

Josey écouta le grincement des charrettes

147

disparaître au loin. Maintenant, il faisait sombre mais une lune presque pleine se levait à l'est derrière des rochers déchiquetés. La brume noyait d'ombre toute forme et une brise fraîche agitait les buissons de sauge. Quelque part, très loin, un coyote lança plusieurs aboiements rapides.

Little Moonlight prit une poignée de bœuf séché dans son sac et la tendit à Josey. Il secoua la tête et lui fit signe de manger. Il se tailla une chique, mit une jambe en travers de sa selle et mâcha lentement.

« Si j'en tue qu' la moitié, ils tueront Lone et les femmes, dit-il à mi-voix. Si ils arrivent à leur camp, c'est sûr qu'i' vont s'amuser avec des couteaux et du feu sur le Cherokee. »

Josey fut tiré de ses réflexions. Le chien poussa un long hurlement désespéré qui s'acheva dans une série de sanglots. Il sauta de côté pour éviter de justesse le jus de tabac.

« Sale chien du Tennessee... on chasse pas l'opossum ou l' raton laveur ! Ferme-la ! » Le chien alla se réfugier derrière le cheval tacheté. Little Moonlight rit et sa voix était si douce et si mélodieuse que Josey la regarda. Elle montra la lune du doigt, puis le chien.

« Allons-y », dit Josey d'un ton bourru, et il lança le rouan vers le ruisseau.

15

Laura Lee Turner trébuchait derrière le chariot dans la pâle clarté de la lune. Ses hautes bottines à boutons n'étaient pas faites pour une telle marche et elle s'était déjà tordu la cheville plusieurs fois. La couverture grossière attachée autour de ses épaules irritait sa peau brûlée par le soleil et que des ongles avaient griffée. Sa poitrine qui ballottait la faisait horriblement souffrir et elle commençait à manquer de souffle. Ses lèvres enflées n'avaient pas prononcé un mot depuis l'attaque, mais cela n'était pas étonnant de la part de Laura Lee.

« Elle est renfermée », avait dit grand-mère Sarah quand elle était venue vivre avec elle et grand-père Samuel après la mort de ses parents.

Près de l'école construite en rondins, là-bas dans les Ozark Mountains, les enfants s'étaient moqués d'elle. Elle n'était pas retournée à l'école. Gentiment, grand-mère Sarah l'avait fait taire quand elle avait dit des choses comme « le printemps éclate comme un orage », ou « les nuages sont comme des rêves de coton qui flottent dans un esprit bleu comme le ciel ».

Grand-père Samuel l'avait regardée étonné et

avait dit, quand elle n'était pas là : « Un peu bizarre, mais une bonne petite fille. »

A quinze ans, elle alla deux fois à des réunions de « paniers repas » et n'y retourna jamais. Grand-père Samuel avait dû acheter le sien, les deux fois, au milieu des gens gênés qui voyaient qu'un panier restait et qu'aucun garçon ne voulait l'acheter [1].

« T'aurais dû leur causer », avait ronchonné grand-mère Sarah. Mais elle n'en avait rien fait. Pendant que les autres filles jacassaient avec des rires effarouchés au milieu des garçons, elle restait assise, muette et raide comme un bout de bois. Elle avait de gros seins et de larges épaules.

« Elle a pas les os assez délicats pour plaire à tous ces freluquets », s'était plainte grand-mère Sarah. Elle avait un visage rude et un pasteur charitable aurait dit qu'il était « honnête et ouvert ». Les taches de rousseur qui lui recouvraient le nez n'arrangeaient pas les choses. Elle n'avait pas la taille trop large mais de grosses chevilles. Une fois, un colporteur s'était arrêté et grand-père Samuel l'avait appelé pour qu'elle essaie des chaussures. Le colporteur avait ri. « J'ai une bonne paire de bottes pour homme qui va vous aller, ma p'tite dame. » Elle s'était retournée, toute rouge et avait regardé ses doigts de pieds crispés.

Grand-mère Sarah, qui était pratique, était

---

1. Il s'agit de fêtes de village, qui se tenaient en général à l'église. Les jeunes filles offraient des paniers garnis et les jeunes gens les achetaient aux enchères. L'argent revenait à la paroisse et c'était une façon pour les garçons de faire la cour aux jeunes filles, en achetant leur panier. *(N.d.T.)*

déçue mais résignée. Elle commença à préparer Laura Lee à sa triste destinée de vieille fille. Maintenant, à vingt-deux ans, c'était une chose bien établie ; Laura Lee était vieille fille et le resterait toute sa vie.

Le frère de grand-mère Sarah, Tom, un célibataire, leur avait envoyé les papiers de son ranch à l'ouest du Texas. Quand ils avaient appris qu'il était mort à Shiloh, ils avaient décidé de quitter leur ferme dans les collines de sable et de reprendre le ranch. Laura Lee n'avait posé aucune question et n'avait même pas pensé ne pas y aller. Il n'y avait pas d'autre endroit où aller.

Maintenant, alors qu'elle trébuchait derrière le chariot, elle ne se faisait aucune illusion sur ce qui l'attendait. Elle acceptait son destin sans amertume. Elle se battrait... puis elle mourrait. La sauvagerie de ce pays qu'on appelait le Texas l'avait surprise par sa brutalité. L'image de Towash était restée dans son esprit. L'image du visage balafré, des yeux noirs et brûlants du tueur, Josey Wales. Il avait un regard implacable, le regard de la mort... comme celui de ce puma qu'elle avait vu une fois acculé devant une paroi rocheuse tandis que les hommes s'avançaient vers lui. Elle se demandait s'il était comme ces hommes aux mains desquels elle était tombée.

Grand-mère Sarah trébuchait à côté d'elle. Sa longue robe l'obligeait à faire de petites enjambées et parfois elle devait courir. A côté de grand-mère Sarah, le sauvage qui avait été capturé marchait sans difficulté. Il était très grand et élancé et sa démarche souple contredisait l'âge de son visage ridé et tanné, stoïque et calme. Il n'avait rien dit. Même quand le gros Mexicain lui avait posé des questions et l'avait menacé, il était resté silencieux, et il avait souri en lui crachant au visage. On l'avait frappé.

Elle le regardait. Il y avait deux cavaliers à une trentaine de mètres derrière eux, mais elle avait vu le sauvage lever furtivement la longe de cuir vers son visage et elle était sûre qu'il était en train de la mâchonner.

Les charrettes soulevaient la poussière et grand-mère Sarah fut prise d'une quinte de toux. Elle trébucha et tomba. Laura Lee voulut aller l'aider mais avant qu'elle n'ait atteint la fragile silhouette le sauvage s'était penché et l'avait relevée avec une aisance étonnante. Il continuait à marcher tout en tenant la petite femme par la taille avec ses mains liées. Il la reposa à terre et la soutint avec attention, jusqu'à ce que grand-mère Sarah ait recommencé à marcher. Grand-mère Sarah releva la tête en arrière pour rejeter ses longs cheveux blancs sur ses épaules.

« Merci », murmura-t-elle.

« De rien, m'dame », dit le sauvage d'une voix basse et agréable.

Laura Lee était stupéfaite. Le sauvage parlait anglais. Elle regarda Lone. « Vous... c'est... vous parlez notre langue... » dit-elle d'une voix hésitante, un peu effrayée de s'adresser à lui.

« Oui, m'dame », dit-il.

Grand-mère Sarah le regardait malgré sa démarche saccadée.

« Mais..., dit Laura Lee, vous êtes indien... n'est-ce pas ? » Elle vit les dents blanches briller dans la lueur de la lune quand l'Indien sourit.

« Oui, m'dame, dit-il, de race pure, m'est

avis... c'est c' que p'pa m'a dit. J' vois pas pourquoi i' m'aurait menti. »

Grand-mère Sarah ne put continuer à se taire. « Vous parlez comme un homme des montagnes », réussit-elle à dire en courant à moitié.

L'Indien eut l'air surpris. « Pourquoi... m'est avis que c'est c' que j' suis, m'dame. J' suis cherokee, du nord de l'Alabama... j' me suis r' trouvé dans les Nations... jusqu'à c' que j' sois au bout d' cette longe.

— Que Dieu ait pitié de nous trois », dit grand-mère Sarah tristement.

« Oui, m'dame », répondit Lone, mais Laura Lee remarqua qu'il avait tourné la tête en parlant et qu'il scrutait la prairie, comme s'il attendait une autre aide que celle de Dieu.

Le silence retomba entre eux. Le chariot avançait rapidement et il était difficile de parler. La nuit s'écoulait lentement et la lune commença à redescendre à l'ouest. Il faisait froid et Laura Lee sentait l'air frais quand à chaque pas ses jambes nues écartaient la couverture. Elle sentit que le nœud qui la retenait sur ses épaules lâchait et elle essaya vainement de la retenir avec ses mains liées. Elle fut surprise de voir soudain que l'Indien marchait à ses côtés. Il tendit ses mains liées et reserra silencieusement le nœud.

Grand-mère Sarah trébuchait de plus en plus et à chaque fois l'Indien la rattrapait et la remettait sur ses pieds. Il lui chuchotait des encouragements à l'oreille : « On ne va pas tarder à s'arrêter, m'dame. » Et une fois qu'elle n'arrivait pas à se remettre sur ses jambes, il l'avait grondée avec douceur : « Vous pouvez pas lâcher, m'dame. Ils vous tueraient... Vous pouvez pas lâcher. »

Grand-mère Sarah répondit, avec un peu de désespoir dans la voix : « P'pa est mort. Si y avait pas Laura Lee, j' serais prête. »

Laura Lee s'approcha de la vieille femme et lui prit le bras.

La lune pâle semblait suspendue au-dessus de l'horizon quand les premiers rayons de l'aube traversèrent le ciel. Soudain, le chariot s'arrêta. Laura Lee pouvait voir un feu de camp devant et des hommes rassemblés autour. Grand-mère Sarah s'assit et Laura Lee s'assit près d'elle. Elle leva ses mains attachées au-dessus de la vieille femme et lui posa la tête sur ses genoux. Elle ne dit rien mais regarda timidement le vieux visage ridé et caressa les longs cheveux blancs avec ses doigts. Grand-mère Sarah ouvrit les yeux. « Merci, Laura Lee », dit-elle d'une voix faible.

Lone était debout près d'elle mais ne regardait pas le feu de camp. Il avait le dos appuyé au chariot et fixait la route par laquelle ils étaient venus. Il était comme une pierre, immobile dans sa concentration. Après un long moment, il fut récompensé par une ombre furtive, peut-être une antilope... ou un cheval quand il disparaît rapidement derrière une butte dans la plaine. Il regarda avec plus d'intensité et vit une autre ombre, qui se déplaçait plus lentement et qui semblait avoir des taches blanches. Elle suivait la première. Un sourire cruel fendit son visage tandis qu'il levait la longe vers ses dents.

Le soleil s'éleva et devint plus chaud. Les Comancheros erraient ici et là et s'étiraient après cette nuit à cheval. L'homme à la barbe rousse fit le tour du chariot. D'énormes éperons espagnols tintaient quand il marchait. Il portait une gourde à la main. Il s'agenouilla près de Laura Lee et de grand-mère Sarah et mit la gourde dans les mains de Laura Lee.

« J' vas faire d' la surenchère sur les Comanches et c'est moi qui va vous épouser », dit-il à Laura Lee en clignant de l'œil et en souriant. De la salive et du jus de chique lui coulaient dans la barbe. Il s'essuya la bouche du revers de la main et de l'autre il lui caressa sournoisement la cuisse. Elle essaya de se lever mais il s'allongea sur elle et plaça un genou entre ses jambes tandis qu'il glissait une main sous la couverture pour lui caresser les seins. Lone fonça la tête la première avec une telle force que l'homme roula sous le chariot. Laura Lee laissa tomber la gourde. L'Indien resta debout, implacable, tandis que le Comanchero à barbe rousse jurait et tentait de se remettre sur ses pieds. Sans regarder Laura Lee, Lone dit calmement : « Vite... la gourde... donnez de l'eau à la grand-mère... elle en aura p'têt' plus l'occasion. » Elle attrapa la gourde et la posa sur les lèvres de grand-mère Sarah, puis elle entendit le choc de l'acier sur l'os et l'Indien tomba près d'elle sur le sol. Il resta allongé et du sang coulait sur ses cheveux noirs.

Laura Lee versait de l'eau à grand-mère Sarah. « Doucement, tu vas me noyer, ma fille », dit la vieille femme en se redressant et en crachant.

Le Comanchero attrapa la gourde et Laura Lee essaya de la garder. Elle se leva, la lui arracha des mains et réussit à renverser de l'eau sur la tête de Lone. Le Comanchero lui donna un coup de pied et reprit la gourde. Il haletait. « Tu t'allongeras bien quand j' te mettrai au lit », cracha-t-il. L'échauffourée avait attiré d'autres hommes près du chariot et il se dépêcha de s'éloigner.

Laura Lee s'occupa de Lone toujours inconscient. Elle le mit sur le dos et avec le coin de sa couverture essuya et arrêta le sang. Grand-mère Sarah était à genoux et essayait de dénouer un cordon qu'elle avait autour du cou. Elle sortit un petit sac de sous sa robe. « Mets-lui ça sous le nez », dit-elle en donnant le sac à Laura Lee.

Lone respira une fois, tourna violemment la tête et ouvrit les yeux. « J' vous d'mande pardon, m'dame, dit-il calmement. J' me suis jamais bien entendu avec le sconse pourri. »

Grand-mère Sarah parla d'une voix faible mais ferme : « Ils vont vous tuer, si vous pouvez pas marcher », dit-elle, tremblant sur ses genoux.

Lone roula sur le ventre et se mit à quatre pattes. Il resta ainsi quelques instants en se balançant, puis se releva. « J' marcherai », dit-il en souriant malgré le sang qui commençait à sécher. « D' toute façon, on a plus longtemps à marcher. »

Soudain, le chariot redémarra et Lone dut tenir grand-mère Sarah par le fond de son jupon pour l'aider à se mettre en route.

Ils ne s'arrêtèrent pas à midi ; le convoi continuait tout droit à l'ouest. La poussière blanche et salée se mélangeait à la sueur et leur recouvrait le visage comme des masques et la chaleur du soleil leur coupait les jambes. Lone tenait fermement grand-mère Sarah ; ses jambes vacillantes ne l'aidaient plus et c'est Lone qui supportait son poids.

Le chariot commença à descendre quand le convoi entra dans un canyon profond. Il était très étroit avec des murailles de rocher à pic. Ils allaient maintenant au sud. Laura Lee sentait ses jambes trembler. Elle trébucha et tomba mais réussit à se remettre debout toute seule. Soudain, les chariots s'arrêtèrent. Elle regarda Lone. « Pourquoi est-ce qu'on s'arrête ? » Sa propre voix lui sembla sèche et grossière.

Lone arborait un sourire triomphant. Elle pensa que le coup sur la tête l'avait rendu fou. Il lui répondit enfin : « Si j' me trompe pas, on est face au soleil. Les parois nous cernent. Ça conviendrait à un type que j' connais, qui met toutes les chances de son côté. J'ai pas regardé en haut, mais j' suis prêt à parier mon scalp qu'un type du nom de Josey Wales a arrêté l' convoi.

— Josey Wales ? » dit Laura Lee d'une voix enrouée.

Grand-mère Sarah, à genoux sur le sol, murmura faiblement : « Josey Wales ? Le tueur qu'on a vu à Towash ? Que Dieu ait pitié de nous. »

Lone contourna l'arrière du chariot. Laura Lee vint à côté de lui. A une cinquantaine de mètres en avant, sur le grand rouan, se détachant sur le soleil, il y avait Josey Wales. Lone s'abrita les yeux de la lumière et il vit les mâchoires qui bougeaient.

« I' mâche son tabac », dit Lone. Il vit Josey tourner lentement la tête.

« Maintenant, i' va cracher », dit Lone. Josey cracha et le jus de chique atteignit une fleur de sauge. Les Comancheros étaient stupéfaits et restaient immobiles comme des statues devant cette étrange silhouette qui se dressait devant eux et qui semblait si nonchalante, en visant les fleurs de sauge avec du jus de chique.

Lone mâchait la longe de ses poignets avec vigueur. « Soyez prête, ma p'tite dame, murmura-t-il à Laura Lee, on va bientôt passer à table. »

Les cavaliers de l'arrière allèrent rejoindre les autres devant le convoi. Laura Lee s'abrita les yeux contre la lumière du soleil. « Vous parlez de lui... de Josey Wales... comme si c'était votre ami, dit-elle à Lone.

— C'est plus que mon ami », répondit-il simplement.

Grand-mère Sarah, qui était toujours assise, s'avança en tirant sur la roue du chariot et regarda. « Même pour un homme comme lui, i' sont trop nombreux », murmura-t-elle mais elle ne lâcha pas la roue et continua à regarder.

Ils virent Josey se redresser dans sa selle et lentement, très lentement, lever un bâton. Au bout il y avait un drapeau blanc. Il l'agita en direction des Comancheros qui étaient tous groupés devant le convoi.

« C'est un drapeau pour se rendre ! » dit Laura Lee étonnée.

Lone sourit largement sous son masque de poussière. « J' sais pas c' qu'il a l'intention d' faire, mais c'est sûrement pas d' se rendre. »

Les Comancheros étaient excités. Ils parlaient avec agitation. Le gros chef, monté sur un cheval pommelé, s'avança au milieu de ses hommes et tendit la main. Il choisit l'homme à barbe rousse, un autre à l'air particulièrement cruel qui avait des scalps cousus à sa chemise et un Mexicain à longs cheveux avec des pistolets attachés bas.

Les trois hommes s'avancèrent lentement vers Josey. En même temps, Josey mit le rouan au pas et partit aussi lentement à leur rencontre. Un silence, troublé seulement par le faible gémissement du vent dans le canyon, s'abattit sur la scène. La lenteur des chevaux, marchant avec précaution et retenus par leurs cavaliers, semblait douloureuse à Laura Lee. Il lui sembla que le cheval de Josey Wales allait légèrement plus vite... c'était à peine sensible... mais quand ils furent face à face, Josey était plus près des chariots. Ils s'arrêtèrent.

Maintenant, elle voyait parfaitement le visage balafré du hors-la-loi. Et sous le rebord du chapeau, le même regard brûlant. Il se leva lentement, debout dans ses étriers comme s'il s'étirait, mais le mouvement amena les pistolets juste sous ses mains.

Soudain, le drapeau tomba. Elle ne vit pas bouger les mains de Josey Wales, mais elle vit de la fumée s'élever près de ses hanches. L'éclatement des énormes 44 se répercuta sur les parois du canyon. Deux selles étaient vides... Le Mexicain aux pistolets attachés bas tomba à la renverse. L'homme à la barbe rousse s'écroula sur le côté et un pied resta coincé dans l'étrier. Le cavalier à la chemise ornée de scalps se plia en deux et s'effondra lourdement ; tandis que le gros chef tournait son cheval et le lançait au grand galop, une force puissante lui arracha la moitié du visage.

Tout s'était passé avec la rapidité et la violence d'un coup de tonnerre et le désordre s'installa. Le cheval de l'homme à barbe rousse se rua vers les chariots en traînant son cavalier par un pied. Celui du gros chef mexicain, rendu à moitié fou par l'étreinte de son cavalier mort, se précipita sur des bœufs. Laura Lee vit l'énorme rouan qui fonçait droit sur eux.

Josey Wales tenait un pistolet dans chaque main. Il serrait les rênes entre ses dents et, alors qu'il se précipitait sur les hommes qui restaient, regroupés près des chariots, elle le vit faire feu, et le bruit assourdissant des 44 résonna dans le canyon. Ue homme hurla en tombant de cheval la tête la première ; les cris et les jurons effrayaient les chevaux qui s'enfuyaient dans toutes les directions. Et au milieu de la confusion, Laura Lee entendit un bruit sourd qui augmenta jusqu'à vous glacer le sang, des hurlements qui lui donnèrent la chair de poule. Le bruit sortait de la gorge de Josey Wales... le cri d'exaltation des rebelles dans le combat, le sang et la mort. Le cri était aussi primitif que l'homme. Il passa si près du chariot que Laura Lee se jeta en arrière pour éviter les sabots du terrible rouan. Josey fit tourner son cheval et fonça sur un conducteur de charrette à demi nu qui courait à pied et lui tira juste entre les deux épaules.

Un Comanchero, le chapeau pendant sur le dos, s'élança vers un cheval au galop et disparut en bas du canyon. Josey se précipita derrière lui et le bruit des sabots s'éloigna.

Un Comanchero qui était allongé près de Laura Lee leva la tête. Il avait la poitrine couverte de sang et la regardait droit dans les yeux. « De l'eau... » dit-il faiblement et il essaya de ramper mais ses bras étaient incapables de supporter son poids. « S'il vous plaît... de l'eau... » Laura Lee horrifiée le regarda qui essayait de s'approcher.

Un Indien se leva parmi les rochers. Il avait de longs cheveux nattés et un costume de peau avec des franges, mais il portait un énorme chapeau gris. Il s'avança vers le Comanchero plein de sang et s'arrêta à quelques pas de lui. L'homme leva la main mais l'Indien visa avec un vieux fusil et lui tira en plein dans la tête. C'était Little Moonlight avec le chien sur ses talons. Elle abaissa le fusil et s'avança vers eux, en tirant un impressionnant couteau de sa ceinture. « Les Indiens ! » hurla grand-mère Sarah toujours assise près de la roue du chariot. « Dieu, ayez pitié de nous ! »

Lone éclata de rire. Comme les femmes, il avait assisté au triomphe de la mort qui s'était abattue sur le camp avec quelque chose qui ressemblait à de la fascination. Le spectacle autour d'eux était celui qui suit la tempête. Les hommes étaient étalés dans les postures grotesques de la mort. Les chevaux avaient la tête baissée. Un cheval s'arrêtait et repartait en traînant derrière lui le cadavre attaché à l'étrier. On n'entendait plus que le gémissement du vent.

Ils virent Josey qui revenait. Il tirait derrière lui un cheval bai ; à la selle étaient accrochés une ceinture de pistolet et un sombrero. Le grand cheval noir de Lone suivait.

Le rouan était blanc d'écume. Josey arrêta les chevaux à l'ombre du chariot et salua poliment Laura Lee et grand-mère Sarah en touchant le bord de son chapeau. Laura Lee lui répondit d'un mouvement de tête et ne dit rien. Elle se sentait ridicule et mal à l'aise dans sa couverture. Comment pouvait-on être si calme et si poli, comme cet homme, après un tel déchaînement de violence ? Quelques minutes plus tôt il avait tiré, hurlé et tué. Elle l'observa, droit dans sa selle, une jambe passée au-dessus du pommeau. Il ne fit aucun geste pour descendre et se tailla une chique avec soin puis se la mit dans la bouche.

« Ça m' fait plaisir de t' revoir, Cherokee », dit-il d'une voix traînante à Lone. « J' voulais partir au Mexique, mais j'ai été obligé de venir te chercher. Comme ça, tu pourras t'occuper de cette squaw qu'est folle. »

Lone le regarda avec un grand sourire. « J' savais qu' tu viendrais.

— Maintenant, dit Josey, j' crois qu'y a deux dames qu'aimeraient bien qu'on leur coupe leurs liens et qu'on leur donne de l'eau... et des vêtements... et tout ça. »

Lone eut l'air gêné. « J' suis désolé, m'dame », murmura-t-il à Laura Lee.

Little Moonlight prit deux gourdes dans les chariots et, tandis que Laura Lee se lavait le visage avec de l'eau fraîche, Lone s'agenouilla avec une gourde près de grand-mère Sarah.

Josey fronça les sourcils. « J' me d'mandais si y avait du grain pour les chevaux.

— J' savais qu' tu d'mand'rais ça, répondit sèchement Lone. Pendant que j' marchais derrière ce chariot, en sifflant et en chantant sous la lune, je m' disais, il faut pas penser qu'à s'amuser, il faut que j' regarde s'il y a du grain dans les chariots. J' sais qu' monsieur Wales va v'nir directement, qu'il va lever son chapeau et qu'il va d'mander s'il y a du grain. »

Laura Lee fut stupéfaite de les entendre rire. Des cadavres étaient allongés autour d'eux. Et ils riaient bruyamment, mais elle comprit que sous les rires, il y avait un humour grinçant et qu'un lien profond unissait l'Indien et le hors-la-loi.

Comme s'il avait lu dans ses pensées, Josey mit pied à terre, souleva la bâche du chariot et la prenant par le bras l'aida à monter. « Restez là, m'dame, dit-il. On va vous trouver des vêtements. » Il se tourna vers grand-mère Sarah, la souleva et la reposa avec précaution près de Laura Lee. « Restez là, m'dame », dit-il.

Grand-mère Sarah le regarda avec intérêt. « Vous les avez coincés, ceux qui se battaient et ceux qui s' sauvaient.

— Oui, m'dame, répondit poliment Josey. P'pa disait toujours qu'il fallait bien faire son travail. » Il ne lui expliqua pas que les Comancheros qui s'étaient enfuis allaient à coup sûr ramener les Indiens.

« Oh ! mon Dieu ! » s'écria grand-mère Sarah. Josey et Lone se retournèrent.

Little Moonlight, un couteau dans une main et deux scalps sanglants dans l'autre, s'agenouillait près d'un troisième cadavre. Laura Lee se recula dans le chariot.

« Elle ne fait rien de mal, dit Lone. Little Moonlight est cheyenne. Ça fait partie de sa religion. Vous voyez, m'dame, les Cheyennes croient qu'il y a que deux moyens pour vous empêcher d'aller au royaume des ombres — c'est d'être pendu, parce que votre âme peut plus sortir par votre bouche et l'autre c'est d'être scalpé. Little Moonlight veut pas qu' nos ennemis aillent là-bas... ce sera plus facile pour

163

nous quand on ira. » Lone eut un grand sourire. « C'est comme quand un pasteur de l'Arkansas envoie ses ennemis en enfer. Les Indiens croient qu'il y a que deux péchés, être lâche et se tourner contre son propre peuple.

— D'accord, dit grand-mère Sarah, m'est avis qu' c'est une façon d' voir. »

Laura Lee regarda Josey. « Est-ce qu'elle va... garder les scalps ? »

Josey la regarda, étonné. « Pourquoi ?... J' sais pas, j' l'ai jamais vue en porter. Mais vous inquiétez pas pour Little Moonlight, m'dame, elle est... d' la famille. »

Lone et Josey remontèrent en selle et tirèrent les corps des Comancheros avec des lassos jusqu'en bas du canyon, puis ils les recouvrirent de rochers. Ils leur avaient enlevé leurs pistolets, et ils entassèrent les armes et les selles, qu'ils avaient ôté aux chevaux, dans les chariots.

Josey, parti en éclaireur, avait découvert une fissure étroite dans le flanc opposé du canyon. Les rochers formaient un réservoir d'eau fraîche. Josey et Lone fouillèrent les trois grosses charrettes et découvrirent des tonneaux de grain, du porc salé, du bœuf séché, des haricots secs et de la farine. Il y avait aussi des armes et des munitions. Ils mirent tout dans les chariots, attachèrent les huit chevaux derrière, et Lone et Little Moonlight conduisirent les chariots dans la crevasse. Laura Lee et grand-mère Sarah les accompagnèrent.

Le sol descendait avant d'atteindre la paroi du canyon et les chariots étaient presque hors de vue de la piste. L'ombre était fraîche et ils installèrent leur camp à la nuit tombante. Ils avaient la haute paroi et la crevasse dans leur dos et les chariots devant eux.

Josey et Lone firent boire les chevaux et les mules dans le réservoir, et après avoir attaché les mules sur l'herbe et avoir donné du grain aux chevaux, ils conduisirent les six bœufs vers l'eau. Dans le chariot, Laura Lee entendit Josey qui parlait à Lone. « Demain matin, on va tuer un des bœufs et on libérera les autres. On ferait aussi bien de laisser les charrettes où elles sont... Il y a plein de choses dedans... des montres, des tableaux... j'ai même vu un lit d'enfant... Ils ont volé ça dans des ranches, m'est avis. »

Elle pensa aux terribles Comancheros. Combien avaient-ils brûlé de cabanes solitaires ? Combien avaient-ils torturé et massacré de gens sans défense ? Elle entendit à nouveau les cris rauques et désespérés de grand-père Samuel et les rires de ses tortionnaires. Elle eut le corps secoué de sanglots. Grand-mère Sarah assise près d'elle lui prit la main et de grosses larmes coulaient en silence sur son visage ridé.

Une main lui toucha l'épaule. C'était Josey Wales. La lune avait dépassé le bord du canyon, noyant son visage dans l'ombre. On ne voyait plus que la cicatrice blanche. « Prenez vos vêtements, m'dame, dit-il doucement. J' vais vous emmener au réservoir... vous pourrez vous laver. J' reviendrai pour prendre grand-mère Sarah. »

Il la prit dans ses bras et elle sentit sa force. Elle glissa timidement son bras autour de son cou et tandis qu'il la portait vers le réservoir, elle sentit une immense faiblesse l'envahir. L'horreur des heures passées, la terreur. Et

165

maintenant la force des bras de cet homme étrange qui aurait dû l'effrayer... mais elle n'avait pas peur. La couverture tomba mais cela n'avait pas d'importance.

Il la déposa sur un large rocher plat près du bassin et revint quelques instants plus tard en portant la fragile grand-mère. Il s'agenouilla près d'elles. « Il va falloir que j' coupe vos chaussures pour vous les enlever. M'est avis qu'il va falloir qu' vous portiez des mocassins. C'est tout c' qu'on a. »

Tandis qu'il glissait le couteau sur le cuir, Laura Lee lui demanda : « Où est-ce qu'est... l'Indien ?

— Lone ? Il efface les traces avec Little Moonlight. » Il rit doucement et dit comme à lui-même : « Ils se sont baignés dans le réservoir. »

Elles avaient les pieds enflés et de vilaines entailles dans les bras causées par la lanière de cuir. Josey se releva et les regarda. « Il y a une petite chute à l'autre bout du réservoir. Le froid va désenfler vos pieds. Le réservoir n'a qu'un mètre de fond. J' vais rester tout près... » Il montra du doigt : « Là-haut, dans les rochers. »

Il disparut dans l'ombre et un moment plus tard se détacha contre la lune un peu plus loin dans le canyon.

Laura Lee aida grand-mère Sarah à descendre dans le bassin. L'eau était fraîche et leur revigora le corps.

« J' peux pas m'empêcher de pleurer », dit grand-mère Sarah en s'asseyant dans l'eau. « J' peux pas m'empêcher de penser à p'pa et à Daniel, là-bas dans la prairie. »

La voix de Josey Wales s'éleva doucement. « Ils sont enterrés, m'dame... comme il faut. »

Est-ce qu'il entendait tout, se demanda Laura Lee ?

« Merci, mon gars », répondit grand-mère Sarah et sa voix se brisa : « Que Dieu te bénisse. »

Laura Lee leva les yeux vers la silhouette sur les rochers. Il mâchait une chique et regardait vers le canyon... et nettoyait ses pistolets avec un bout de chiffon.

16

Le matin arriva rouge et chaud et chassa la fraîcheur du canyon. Josey et Lone tuèrent un bœuf et posèrent des tranches de viande sur le feu sans fumée que Little Moonlight avait allumé dans la crevasse. Laura Lee repoussa grand-mère Sarah, qui protesta faiblement sur sa couverture, et s'avança vers le feu avec ses pieds enflés.

« Je peux travailler », dit-elle à Josey sur un ton catégorique. Little Moonlight sourit et lui tendit un couteau pour émincer la viande. Après avoir salé les tranches, ils les mirent à cuire au soleil sur des rochers plats et ne mangèrent qu'en fin d'après-midi.

Laura Lee remarqua que les deux hommes ne travaillaient jamais ensemble. Si l'un d'eux était occupé, l'autre surveillait le bord du canyon. Quand elle posa la question à Josey, il lui répondit brièvement : « C'est le pays des Comanches, m'dame. C'est leur terre, pas la nôtre. » Et elle vit Lone et Josey regarder avec inquiétude le cercle de vautours qui tournaient en haut du ciel au-dessus des rochers sous lesquels étaient les corps des Comancheros.

Ils se reposèrent, repus de bœuf, dans l'ombre du crépuscule, contre la paroi du canyon. Josey s'approcha des couvertures de grand-mère Sarah et de Laura Lee. Il portait un petit pot de fer et s'agenouilla près d'elles.

« Des herbes que Lone a ramassées. Ça va désenfler vos pieds. » Il leur massa les pieds et les jambes. Laura Lee rougit et tendit timidement la jambe. Josey leva les yeux et la regarda quelques instants. « Ça n'a pas d'importance, m'dame... On fait c' qu'on doit faire... pour vivre. C'est pas toujours... très bien, j' crois. C'est la nécessité qui décide. »

Laura Lee s'étendit sur sa couverture et s'endormit. Cette nuit-là elle rêva d'un énorme cheval roux qui la chargeait, un homme terrible avec un visage balafré le montait, il poussait des cris et tirait des coups de feu. Le hurlement d'un loup près du canyon la réveilla. Grand-mère Sarah était assise et se coiffait. Tout près dans l'ombre, devant elle, il y avait Lone. Little Moonlight était allongée sur le sol et sa tête reposait sur la cuisse de Lone. Elle ne vit pas Josey. Ses pieds étaient désenflés et ne lui faisaient plus mal.

« Est-ce que... ? Où est M. Wales ? » demanda-t-elle à Lone.

Il regarda vers le canyon baigné par la douce lumière de la lune. « Il est là-bas, dit-il doucement. Quelque part dans les rochers. Il dort pas beaucoup. M'est avis qu' ça vient des années qu'il a passées à cheval. »

Laura Lee hésita et dit d'une voix timide : « J' l'ai entendu dire qu'il était d' la même famille que Little Moonlight... C'est vrai ? »

Lone rit doucement. « Non, m'dame. Pas

comme vous l'entendez. Là d'où vient Josey...
dans les montagnes... les gens disent autre chose
avec ce mot. Si un type dit à un autre qu'il est
d' la même famille, ça veut dire qu'ils se comprennent. Si il dit ça à sa femme... c'est pas
souvent... ça veut dire qu'il l'aime. » Lone se tut
un instant avant de reprendre. « Vous voyez,
m'dame, pour un homme des montagnes, c'est
la même chose, de s'aimer ou de se comprendre... l'un va pas sans l'autre. Little Moonlight », il lui posa la main sur la tête, « Josey la
comprend. Oh, i' comprend pas l' Cheyenne,
c'est c' qui est en dessous qu'il comprend... la
loyauté et des choses comme ça... et elle comprend aussi, et ils s'aiment. Vous voyez, ils
s' comprennent, ils s'aiment, ils sont d' la même
famille.

— Vous voulez dire...? » Laura Lee laissa sa
question en l'air.

Lone rit doucement. « Non, j'ai pas dit qu'elle
était sa femme, rien d' ça. M'est avis que j' peux
pas vous expliquer, m'dame... mais Josey et
Little Moonlight se feraient tuer sur place l'un
pour l'autre.

— Et vous, demanda Laura Lee.

— Moi aussi », répondit Lone.

Le vent de la nuit poussa un long gémissement et un coyote leur rappela, avec un hurlement lointain, l'immensité et la désolation de ce
pays. Laura Lee frissonna et grand-mère Sarah
lui posa une couverture sur les épaules. Elle
n'avait jamais posé de questions, mais la curiosité et quelque chose d'autre étaient venus à
bout de sa réticence. « Pourquoi... j' veux dire...
pourquoi est-ce qu'il est recherché ? »
demanda-t-elle.

Le silence dura si longtemps qu'elle pensa que Lone ne voulait pas répondre. Finalement sa voix s'éleva doucement dans l'ombre, tandis qu'il cherchait ses mots. « Si j' vous dis qu'une ferme... qu'une maison a été brûlée, vous direz qu' c'est pas bien. Si j' vous dis qu' c'est votre maison qui brûle... et qu' vous aimez cette maison, et ceux qui sont d'dans... vous ramperez s'il le faut pour éteindre le feu. Vous détesterez ce feu, mais seulement parce que vous aimez cette maison, pas parce que vous détestez le feu, parce que vous aimez votre maison. Et plus vous l'aimerez et plus vous détesterez. » La voix de l'Indien se durcit. « Les brutes n'aiment pas, m'dame. Ils tuent sans peur et torturent pour voir des hommes les supplier... ils essaient de se prouver qu'il y a dans l'homme quelque chose d'aussi vil qu'eux. Quand ils sont obligés de se battre, ils se sauvent. C'est pour ça que Josey savait qu'il pouvait liquider les Comancheros. Josey est un grand guerrier. Il aime profondément et hait profondément ceux qui tuent ce qu'il aime. Tous les grands guerriers sont comme ça. » La voix de Lone s'adoucit. « C'est comme ça et ce sera toujours comme ça. »

Grand-mère Sarah chercha la main de Laura Lee dans l'obscurité et la caressa. Laura Lee n'avait pas remarqué qu'elle pleurait. Elle comprit la solitude du hors-la-loi dans les paroles de Lone. L'amertume des rêves brisés et des espoirs vains. La douleur de l'amour perdu. Elle comprit alors ce que l'Indien implacable avait toujours su, que les vrais guerriers étaient fiers... tendres et solitaires.

Elle se réveilla de bonne heure. Le soleil atteignait le bord du canyon et ses rayons glissaient sur la paroi comme sur un cadran solaire. Little Moonlight roulait les couvertures et rangeait les affaires dans les chariots. Grand-mère Sarah, à quatre pattes au-dessus d'une grande carte en papier, montrait différents endroits à Josey et à Lone accroupis à côté d'elle. « Dans cette vallée, il y a un ruisseau. Vous voyez les montagnes, là ? » disait-elle.

Josey regarda Lone. « Qu'est-ce que tu en dis ? »

Lone étudia la carte. « J' dis qu'on est là », et il posa son doigt sur la carte. « Le ranch dont elle parle est là, avec les montagnes derrière au nord.

— A quelle distance ? » demanda Josey.

Lone haussa les épaules. « Peut-être soixante ou cent miles. J' peux pas dire. C'est au sud-ouest, mais de toute façon, on va par là... vers la frontière. »

Josey mâchait une chique et Laura Lee remarqua que ses vêtements étaient propres et qu'il s'était rasé. Il cracha. « M'est avis qu'on va vous accompagner avec les chariots, m'dame. S'i' y a personne là-bas... vous pourrez pas rester, deux femmes seules, dans c' pays.

— Regardez », dit grand-mère Sarah avec empressement, « il y a une ville, elle s'appelle Eagle Pass, sur cette rivière... Rye-Oh-Grandee.

— C'est le Rio Grande, m'dame, dit Lone, et Eagle Pass c'est bien loin de votre ranch ; cette ville, là, Santo Rio, c'est plus près... Vous y trouverez peut-être des hommes pour vous aider. »

Tandis qu'ils parlaient, Laura Lee aida Little Moonlight à charger les chariots. Elle se sentait reposée et en forme et les mocassins lui étaient doux aux pieds. Little Moonlight s'agenouillait pour ramasser des ustensiles en souriant à Laura Lee... Son sourire se figea sur son visage. « Koh-manch », dit-elle à voix basse... puis, plus fort pour que Josey et Lone entendent : « Koh-manch ! »

Lone repoussa durement grand-mère Sarah sur le sol et s'allongea sur elle. En deux enjambées, Josey attrapa Laura Lee, la fit tomber par terre et s'allongea également sur elle. Little Moonlight était déjà par terre, la tête baissée.

Le Commanche ne cherchait pas à se cacher. Il montait un poney blanc avec l'aisance d'un vrai cavalier. Il avait un fusil posé sur les genoux et, dans ses cheveux nattés, il n'y avait qu'une seule plume qui s'agitait dans le vent. Il était à un demi-mile et se découpait sur le soleil du matin mais il était évident qu'il les voyait et les observait.

Laura Lee sentait la respiration et les battements de cœur de Josey. « Il nous a vus... » murmura-t-elle.

« Je sais, répondit durement Josey, mais il a peut-être pas eu le temps de compter trois femmes... et seulement deux hommes. »

Soudain, le Comanche lança son cheval au trot rapide et disparut.

Lone se précipita vers les mules et les attela aux chariots. Josey remit Laura Lee sur ses pieds. « Il y a des vêtements de Comancheros dans les chariots... il faut les mettre, comme des hommes », dit-il.

Ils mirent de grands sombreros, des pantalons de cuir. Laura Lee enfila la plus grande chemise qu'elle put trouver. Elle avait une encolure en V sans boutons et on avait l'impression que ses gros seins allaient faire éclater le tissu. Elle était toute rouge et rougit encore davantage quand elle vit Little Moonlight se changer dehors.

« C'est nécessaire », dit Josey avec un peu de crainte dans la voix. Grand-mère Sarah ressemblait à un farfadet sous un champignon et l'immense sombrero flottait désespérément sur ses épaules.

Malgré la situation, Josey ne put s'empêcher de rire en la voyant, et un peu plus loin, Lone en fit autant.

« Excusez-moi, m'dame », dit Josey et il éclata à nouveau de rire, « c'est parce que... vous êtes si petite. »

Grand-mère Sarah souleva le sombrero des deux mains pour voir ses tortionnaires. « L'habit fait pas l' moine et la taille fait pas l' combattant ! » répondit-elle fièrement.

« C'est vrai comme la pluie, m'dame », dit-il simplement. « Little Moonlight va conduire un des chariots.

— J' conduirai l'autre », s'entendit dire Laura Lee et grand-mère Sarah lui jeta un coup d'œil. Elle n'avait jamais conduit de mules ni de chariot. Et grand-mère Sarah était partagée entre l'étonnement et le plaisir en voyant naître cette hardiesse chez la timide Laura Lee.

17

Ils sortirent les chariots du canyon et s'avancèrent dans la plaine. Ils tournèrent vers le sud-
ouest, vers l'horizon sans fin. Lone, monté sur le
cheval noir, ouvrait la voie loin devant. Little
Moonlight et grand-mère Sarah étaient assises
dans le chariot de tête et Laura Lee conduisait
le second chariot. Derrière elle, les chevaux des
Comancheros, attachés les uns derrière les
autres, s'étiraient sur une longue file. D'énormes outres de peau ballottaient sur leurs flancs
comme des bosses de chameaux mal placées.

Lone menait bon train, ce qui était possible
avec les mules. Josey était sur les côtés des
chariots et surveillait l'horizon. Il avait tout de
suite compris que Laura Lee n'avait jamais
conduit de mules. Elle avait commencé par tirer
sur la bouche des bêtes, puis elle avait successivement relâché et resserré les rênes... mais elle
apprenait vite et il n'avait rien dit. De toute
façon il y avait trop de détermination dans ses
mâchoires pour discuter.

Josey vit deux fois de petits nuages de poussière sur la plaine, mais ils disparurent vite. Ils
campèrent pour la nuit, dans la brume pourpre

du crépuscule, en plaçant les chariots en V et en attachant les mules et les chevaux sur de l'herbe à bison.

Lone secoua la tête avec mécontentement quand Josey parla des nuages de poussière. « C'est impossible de savoir. Le Comanche était pas tout seul... et y a des Apaches dans l' coin. Je sais pas lesquels j' préférerais rencontrer... »

Josey prit la première veille en marchant parmi les chevaux. N'importe quelle bande de guerriers s'en prendrait d'abord aux chevaux, ensuite aux femmes. La lune brillait et un coyote poussait des aboiements aigus. Très loin, on pouvait entendre l'appel solitaire d'un loup. La lune avait baissé à l'ouest quand il réveilla Lone dans sa couverture et il trouva Little Moonlight avec lui. Josey s'accroupit à côté d'eux. « J' suis content d' voir qu'on s'installe », dit-il. Lone lui répondit par un large sourire et Little Moonlight lui donna un coup de pied dans le menton.

Josey s'allongea sous un chariot et d'avoir vu le Cherokee et l'Indienne lui permit d'oublier son inquiétude. Lone et Little Moonlight avaient trouvé un foyer même si ce n'était qu'une couverture indienne. Peut-être qu'ils trouveraient un endroit... au ranch de grand-mère Sarah. Il irait seul au Mexique.

Ils se levèrent avant l'aube et quand les premiers rayons du soleil touchèrent l'horizon à l'est, ils étaient prêts à partir.

« Vous devriez mett' ça », dit Josey en donnant aux femmes des ceintures et des pistolets. Il aida grand-mère Sarah à serrer une ceinture autour de sa taille minuscule et lui tendit un énorme pistolet. « M'est avis qu' faudra le tenir à deux mains, m'dame... mais rapp'lez-vous, tirez pas avant que votre cible soit tout près... y a six balles dedans et vous avez qu'à relever le percuteur avec le pouce. » Il tourna son cheval pour aller aider Laura Lee et vit grand-mère Sarah poser la main sur la crosse du gros pistolet et le sortir aisément de son étui. « Vous avez des mains faites pour le colt 44 », dit-il avec admiration.

Laura Lee regarda ses mains comme s'il s'agissait d'appendices supplémentaires à ses bras. Elles étaient peut-être trop grandes pour les tasses de thé. Tout son corps l'était peut-être... mais elle semblait être adaptée au Texas. C'était un pays très dur, misérable même, mais il était immense et honnête dans sa sauvagerie même, pas comme ces endroits où la cruauté se cachait sous le masque de l'hypocrisie et de la civilité. Elle posa le pied sur le moyeu de la roue et sauta sur le siège. Elle prit les rênes et cria aux mules : « En avant, vieilles carnes d'Arkansas aux oreilles tombantes ! » Et grand-mère Sarah, se penchant pour voir cette soudaine explosion de vie chez Laura Lee, faillit tomber sous la roue du chariot.

Droit au sud-ouest. Ils avaient le soleil sur leur droite et l'air chaud faisait danser l'horizon. Ils s'arrêtèrent pour la nuit au bord d'un plateau et repartirent à la première heure en poussant les mules.

Cinq jours après avoir quitté le canyon, ils traversèrent une rivière qui errait dans les terres salées et ils repartirent après avoir rempli les outres. « L'eau attire les voyageurs », dit Lone d'un air inquiet.

Le paysage changeait imperceptiblement. L'herbe à bison devenait plus rare. Ici et là, des yuccas dressaient leurs fers de lance surmontés de petites boules blanches. Les fleurs écarlates des cactus et les pétales jaunes des poiriers à piquants tachetaient les buissons de créosote. Chaque plante était munie d'épines ou de piquants, d'aiguilles ou de griffes, nécessaires à la vie dans un pays aride. Même les rochers qui s'élevaient au loin étaient creusés de lignes aiguës comme de gigantesques dents prêtes à mordre.

C'est cet après-midi-là que les Indiens apparurent. Soudain, ils furent là, sur une longue file parallèle aux chariots, à moins d'une centaine de mètres. Ils étaient dix. Ils mirent leurs chevaux à la même allure que les chariots et s'avancèrent en regardant droit devant eux.

Lone ralentit son cheval et se laissa rattraper par Josey. Ils marchèrent côte à côte en silence et Josey savait que Laura Lee avait vu les Indiens. Mais elle regardait droit devant elle en claquant la langue pour faire avancer ses bêtes comme un vieux muletier.

« Des Comanches », dit Lone qui regarda Josey se tailler une chique.

Il mâcha et cracha. « T'en vois pas d'autres ?

— Non, dit Lone, pas d'autres. Ils ont trois chevaux chargés d'antilopes. Ils n'ont pas de peintures... c'est des '' dog soldiers ''... c'est le nom que les Cheyennes et les Comanches donnent à leurs chasseurs... Ils sont partis chercher de la viande. Ils en ont. Ils ne sont pas partis piller, mais un Comanche peut s'amuser à

180

n'importe quel moment. Nos chevaux doivent leur plaire, mais ils se demandent quel est le prix à payer pour les avoir. »

Ils continuèrent à avancer quelque temps sans parler. « Reste près des chariots », dit Josey en crachant sur une fleur de cactus. Il fit obliquer légèrement son cheval vers les Indiens et Lone vit quatre colts 44 dans des étuis, attachés à sa selle, comme un guérillero du Missouri.

Pendant un quart de mile, il s'approcha des Indiens. Au début, les guerriers semblèrent ne pas le remarquer, mais au fur et à mesure que la distance diminuait, de temps en temps, un cavalier tournait la tête pour voir cet homme bardé d'armes qui les regardait ouvertement et qui apparemment avait envie de se battre.

Tout à coup, le chef leva son fusil en l'air, poussa un cri à vous arracher les oreilles et détourna son cheval de Josey et des chariots. Les guerriers le suivirent. Ils disparurent aussi rapidement qu'ils étaient venus en poussant des cris et en brandissant leurs fusils.

Quand Josey revint près des chariots, grand-mère Sarah souleva son sombrero des deux mains pour le saluer et Laura Lee lui fit le plus grand sourire qu'il ait jamais vu.

Lone essuya la sueur qui couvrait son front. « Le chef aurait pu s'approcher quand il a levé son fusil.

— J'y ai pensé, dit Josey. Ils vont revenir ?

— Non... dit Lone, pas très sûr. Ils sont très chargés, ça veut dire qu'ils sont loin du gros de leur troupe... et ils vont pas dans notre direction. La seule raison, c'est que ça les arrange pas... mais y a plein de Comanches dans la région. »

En fin d'après-midi, ils entrèrent dans la montagne, qui faisait partie d'une chaîne de crêtes et de buttes déchiquetées qui tombaient dans la plaine en laissant entre elles de grands espaces désertiques. Grand-mère Sarah regardait avec de grands yeux et quand ils campèrent dans la brume rouge du couchant, elle contempla les montagnes pendant un long moment. Le lendemain à midi, la montagne leur apparut clairement. Il s'agissait en fait de deux chaînes de montagnes parallèles, avec des sommets aux extrémités opposées et qui, de loin, apparaissaient comme une seule montagne s'effondrant en son centre. Lone dirigea les chariots vers la fin de la crête la plus proche qui venait mourir dans le désert.

Le soleil n'était pas encore couché quand ils contournèrent l'extrémité de la crête et s'arrêtèrent devant le paysage. Les deux montagnes entouraient une vallée dans laquelle un ruisseau d'eau claire étincelait dans les rayons du soleil. Une oasis dans le désert. Les chevaux avaient de l'herbe à mi-jambes. Des cotonniers et des chênes verts poussaient sur les berges du ruisseau. Des fleurs tachetaient l'herbe et recouvraient les flancs des montagnes qu'on distinguait de chaque côté.

Des antilopes qui broutaient de l'autre côté du ruisseau levèrent la tête à leur passage et des volées de cailles quittaient leurs nids. La vallée s'élargissait et se rétrécissait successivement entre les montagnes. Elle avait parfois un mile de large et parfois seulement une cinquantaine de mètres et cela délimitait des espaces semi-circulaires.

Des bœufs à longues cornes, gros et gras, broutaient l'herbe épaisse, et après deux heures de voyage, Josey estima qu'il y en avait un millier, mais le nombre ne cessant de croître, il abandonna toute estimation. Ils étaient sauvages et en voyant les chariots, ils se précipitaient dans les ruisseaux qui descendaient des montagnes.

Josey vit des perdrix, des tétras à queue pointue près des saules sur les berges du ruisseau et un petit ours brun grogna en les voyant et s'éloigna dans la vallée en faisant s'enfuir un troupeau de magnifiques daims à queue noire.

Ils remontaient lentement la vallée. Epuisés par la chaleur et la poussière du désert, ils goûtaient avec délices la fraîcheur du lieu. Le soleil en se couchant derrière les montagnes enflammait le ciel de rouge, puis tout devint pourpre comme des peintures qu'on renverse et qui se mélangent.

La fraîcheur de la vallée leur lavait le visage. Ce n'était pas le froid piquant et pénétrant du désert, mais la fraîcheur humide des arbres et de l'eau qui apaisait leur soif et leur fatigue. La lune apparut au-dessus de la vallée et repoussa les ombres sous les saules le long du ruisseau et contre les flancs du canyon. Les oiseaux de nuit sortirent et poussèrent leurs longues notes que la brise porta à l'autre bout de la vallée.

Lone arrêta les chariots et les chevaux commencèrent à brouter l'herbe. « Peut-être, dit-il d'un ton calme, qu'on devrait s'arrêter pour la nuit. »

Grand-mère Sarah se leva sur le chariot. Elle

avait retiré le grand sombrero et ses cheveux blancs semblaient d'argent.

« C'est exactement comme Tom l'a écrit, dit-elle doucement. La maison doit être un peu plus haut. » Elle tendit le doigt. « Là où les montagnes se rejoignent. Est-ce... est-ce qu'on peut pas continuer ? » Josey et Lone se regardèrent et approuvèrent de la tête... Ils repartirent.

C'est deux heures après le lever de la lune qu'ils aperçurent la maison, longue et basse, presque invisible parce que ses murs de brique étaient de la même couleur que la terre qui l'entourait. Elle était nichée douillettement au creux d'un bois de cotonniers et en s'approchant, ils virent une grange et à côté un petit bâtiment en brique. Derrière la grange, il y avait un corral qui s'ouvrait sur un pré pour les chevaux. Il comprenait un bassin d'eau claire dans lequel se jetait le ruisseau. C'était la fin de la vallée.

Ils visitèrent la maison. Une grande salle, basse de plafond avec des sièges de cuir brut et un sol d'ardoise. Il n'y avait pas de poêle dans la cuisine mais une énorme cheminée dans laquelle on avait installé un four hollandais. Le confort était un peu fruste. Les lits étaient faits de madriers mais tendus de lanières de cuir souple et les murs étaient également recouverts de cuir.

Tandis qu'ils déchargeaient les chariots dans la cour, dans l'ombre des cotonniers, Laura Lee saisit impulsivement le bras de Josey et lui murmura : « C'est... c'est comme un... un rêve.

— C'en est un », dit Josey d'un ton solennel et il se demanda comment Tom Turner avait fait pour tomber sur cette oasis de verdure située au milieu de plusieurs milliers de miles carrés de semi-désert. Il évaluait la longueur de la vallée à dix, peut-être douze miles. Il y avait de l'herbe et de l'eau, les parois de la montagne la fermaient de chaque côté. Trois hommes suffisaient pour s'occuper du ranch, sauf pour marquer et emmener les bêtes, mais on pouvait embaucher de la main-d'œuvre supplémentaire.

Il fut tiré de sa rêverie quand il vit Lone et Little Moonlight qui s'en allaient tous les deux vers la petite maison, installée un peu en arrière sous des cèdres rouges et des cotonniers. L'endroit l'avait ensorcelé et pendant un instant il s'était cru chez lui.

Laura Lee et grand-mère Sarah ne tenaient pas en place. Personne ne dormirait cette nuit-là. Il détela les mules et les mit avec les chevaux dans le pré. Il s'appuya sur la barrière du corral et les regarda se rouler dans l'herbe, ruer et se diriger vers l'eau. Il amena en dernier le grand rouan, le dessella et l'étrilla. Il le laissa aller avec les autres après lui avoir donné du grain.

Pour le petit déjeuner, Laura Lee fit des biscuits et mit le bœuf séché à frire dans le four. Les femmes nettoyèrent, chassèrent la poussière par les portes et les fenêtres et entreprirent ces tâches mystérieuses qui sont celles des femmes dans les maisons nouvelles. Little Moonlight s'était clairement attribuée la petite maison sous les cèdres et prenait des couvertures, des pots et des casseroles. Josey et Lone allèrent chercher de l'eau au bassin et remplirent les tonneaux de cèdre qui étaient dans la maison. Ils réparèrent la clôture du corral et nettoyèrent leurs armes qu'ils suspendirent dans les pièces à portée de la main. Lone mit des nasses dans le ruisseau et à souper ils eurent des perches dorées.

Après le repas, Josey et Lone s'accroupirent dans l'ombre des arbres et regardèrent la lune se lever au-dessus de la crête du canyon. Ils pouvaient entendre le bavardage de Laura Lee et de grand-mère Sarah qui faisaient la vaisselle dans la cuisine. Le feu écartait la fraîcheur de cette nuit de printemps. Little Moonlight était assise sur le seuil de la petite maison de brique sous les cèdres et chantait d'une voix aiguë une étrange mélodie cheyenne.

« C'est sa cabane, dit Lone. Elle m'a dit que c'était la première fois qu'elle en avait une.

— M'est avis que c'est à elle et à toi », dit calmement Josey.

Lone, mal à l'aise, changea de position. « J'avais jamais pensé... une femme... à mon âge... ici c'est comme quand j'étais enfant... ici... » Il semblait s'excuser et sa voix s'éteignit.

« Je sais », dit Josey. Il savait ce que l'Indien ne pouvait pas dire. Avant, avant la Piste des larmes, là-bas dans les montagnes, il avait vécu dans un endroit semblable. Une maison... une femme. Maintenant, tout cela lui était redonné. Mais il s'inquiétait parce que cela lui semblait en quelque sorte... déloyal à l'égard du hors-la-loi. Josey parla d'une voix ferme et sans émotion. « On pourra trouver des hommes mais je peux pas laisser Laura Lee... les femmes, sans savoir s'il y a quelqu'un en qui on peut avoir confiance... pour diriger et prendre soin d'elles. Il faut que tu restes ici... toi et Little Moonlight... elle vaut bien un homme, p'têt' mieux. Y a pas d'autre voie. En plus, je reviendrai par ici

186

et j'aurai sûrement besoin d'un endroit pour me cacher. »

Lone posa la main sur l'épaule de Josey. « Peut-être, dit-il, peut-être qu'ils vont t'oublier et... »

Josey se coupa une chique et regarda la vallée. Ce n'était pas la peine de parler. Ils savaient tous les deux que l'oubli n'existait pas.

18

Ten Bears remontait au nord après avoir passé l'hiver au pays des Mexicains, en dessous du fleuve mystérieux que les soldats refusaient de traverser. Il était suivi par cinq sous-chefs, deux cent cinquante valeureux guerriers et environ quatre cents femmes et enfants. Chargés de butin et de scalps pris dans des villages et des ranches du sud, ils avaient traversé le Rio Grande deux jours plus tôt. Ils revenaient, comme ils l'avaient toujours fait au printemps, comme ils le feraient toujours. La route du Comanche ne serait pas entravée par les soldats parce que le Comanche était le plus grand cavalier des plaines et que chaque guerrier valait cent Tuniques bleues.

Ten Bears était le plus grand chef de guerre des puissants Comanches. Même le grand Red Cloud des Sioux Oglalas, loin au nord, l'appelait son frère. Il n'y avait aucune rivalité parmi ses sous-chefs parce que sa place et sa réputation étaient légendaires. Il avait conduit ses guerriers dans des centaines de raids et de batailles et des milliers de fois sa sagesse et son courage avaient été mis à l'épreuve sans jamais faillir. Il parlait avec éloquence avec les Blancs et l'automne dernier, quand l'herbe avait jauni, il avait rencontré le général Sherman sur le Llano Estacado et lui avait dit que les Comanches ne changeraient pas de vie. Ten Bears tenait toujours sa parole.

Quand il avait reçu un message lui disant que le général des Tuniques bleues voulait le rencontrer, il avait d'abord refusé. Ils s'étaient rencontrés quatre fois en cinq ans, et chaque fois l'homme blanc avait tendu la main en signe d'amitié pendant que son autre main tenait un serpent. A chaque rencontre la Tunique bleue avait un nouveau visage mais les mots étaient toujours les mêmes.

Finalement, il avait accepté et avait choisi le Llano Estacado comme lieu de rencontre parce que les Blancs avaient peur de traverser la Grande Plaine, là où le Comanche se promenait en toute impunité.

Ten Bears avait refusé de s'asseoir et tandis que le chef des Tuniques bleues parlait, il était resté debout, les bras croisés, silencieux comme une pierre. Tout se passait comme il s'y attendait. Beaucoup de paroles d'amitié et de bonne volonté envers les Comanches... et l'ordre aux Comanches de s'en aller aux limites de la plaine, là où le soleil mourait chaque jour.

Quand le chef des Tuniques bleues avait eu fini de parler, Ten Bears avait parlé à son tour d'une voix étranglée de colère. « Nous nous sommes déjà rencontrés plusieurs fois, et chaque fois j'ai pris la main que vous me tendiez, mais quand votre ombre se raccourcit sur le sol, les promesses se cassent comme des brindilles sèches sous votre talon. Vos paroles changent avec le vent et meurent sans raison dans le désert de votre poitrine. Si nous n'avions pas abandonné les terres que vous occupez maintenant, nous aurions quelque chose à donner contre vos mots trompeurs. Je connais chaque trou d'eau, chaque buisson, chaque antilope, du pays des Mexicains jusqu'à la terre des Sioux. Je suis libre comme le vent et je resterai libre jusqu'à ce que le vent qui balaie ce pays disperse mes cendres. Je ne te rencontrerai plus que pour me battre parce que mon cœur est d'acier. »

Il avait quitté la réunion et, avec ses guerriers, ils avaient brûlé et pillé tous les ranches qu'ils avaient trouvé sur leur passage en traversant le Texas vers le Mexique. Aujourd'hui, il revenait et ses yeux étaient emplis de haine, comme ceux des guerriers qui l'accompagnaient.

C'est un dimanche en fin d'après-midi que Ten Bears contourna les montagnes pour entrer dans la vallée et il vit les traces des chariots.

Ce dimanche matin-là, la réunion pour le service dominical avait eu lieu à l'ombre des cotonniers qui entouraient la maison. Au petit déjeuner, grand-mère Sarah avait annoncé fermement : « C'est dimanche et nous allons observer le jour du Seigneur. »

Josey et Lone étaient debout, maladroits et tête nue avec Little Moonlight entre eux. Laura Lee qui portait toujours des mocassins mais une robe blanche, ce qui accentuait sa silhouette avantageuse, ouvrit la Bible et lut. Elle suivait les mots avec son doigt et penchait son visage brûlé par le soleil sur les pages : « Je marche dans la vallée de la mort, et pourtant je n'aurai

191

pas peur parce que Tu es avec moi. Tu es mon réconfort... »

Cela dura longtemps et Little Moonlight regardait un roitelet faire son nid dans une fente de la maison.

Laura Lee termina le psaume avec un soupir de triomphe et grand-mère Sarah regarda sévèrement la petite assemblée, en s'attardant sur Little Moonlight. « Et maintenant, prions, dit-elle, tout le monde se tient les mains. »

Lone saisit la main de grand-mère Sarah et celle de Little Moonlight. Josey prit la main droite de Little Moonlight et tendit la main droite vers Laura Lee. Il sentit qu'elle tremblait... et il crut qu'elle lui pressait la main. Little Moonlight redressa la tête... La cérémonie des Blancs n'était pas finie.

« Baissez la tête », dit grand-mère Sarah et Lone obligea Little Moonlight à s'exécuter.

« Seigneur », commença grand-mère Sarah avec une voix de stentor, « Tu dois être fâché qu'on ait pas eu l' temps de prier, mais T' as vu comment c'est. Nous Te demandons de prendre soin de p'pa et de Daniel, c'étaient de braves garçons... i' buvaient bien un peu... mais i' z'étaient meilleurs que la plupart et i' z'ont fait c' qu'ils ont pu contre ces canailles, ces assassins qui les ont tués. Ils sont morts courageusement, étant donné... » Sa voix se brisa et elle resta silencieuse quelques instants. « ... Et on Te remercie d'avoir envoyé quelqu'un pour qu'ils soient enterrés comme il faut. On Te remercie pour cet endroit et on Te demande de bénir les os de Tom à Shiloh. On Te demande pas grand-chose Seigneur... comme ces sales types dans l'Est qui portent des beaux vêtements et vivent dans le péché de Sodome. Maintenant, on est des Texans et on défendra c' qui est à nous... avec Ton aide si Tu veux bien. On Te remercie pour ces hommes... pour cette Indienne... » Grand-mère Sarah ouvrit les yeux et jeta un regard rusé vers Josey Wales qui baissait la tête, « ... et on Te remercie pour Laura Lee, cette jeune fille bonne et forte, faite pour élever des beaux enfants afin de peupler cette terre... si elle a cette chance. On Te remercie pour Josey Wales qui nous a délivrés des Philistins. Amen. »

Grand-mère Sarah releva la tête et regarda sévèrement le cercle. « Maintenant, dit-elle, nous allons terminer le service en chantant : *Dans le doux temps à venir.*

Lone et Josey connaissaient la chanson. Ils commencèrent en hésitant et bientôt leurs voix se joignirent à celles de Laura Lee et de grand-mère Sarah.

Dans le doux temps à venir
Nous nous rencontrerons sur un merveilleux rivage
Dans le doux temps à venir
Nous nous rencontrerons sur un merveilleux rivage.

Ils chantèrent le couplet en se trompant un peu. C'est ce que préféra Little Moonlight. Elle commença à traîner les pieds pour prendre le rythme en dansant autour du cercle. Et, bien qu'elle ne connaisse pas le chant, elle l'accompagna d'un gémissement émouvant. Le chien s'assit sur son derrière et se mit à hurler, et si la mélodie n'y gagna pas, il y eut plus de bruit. Josey lui donna un coup de pied précis mais violent dans les côtes et le chien se mit à grogner.

A tout prendre, ce fut une bonne matinée, comme le dit grand-mère Sarah devant un somptueux repas dominical. Et tous se réjouirent d'avance en pensant qu'il en serait de même chaque dimanche.

19

Les éclaireurs lui dirent que deux chevaux
seulement étaient montés et Ten Bears comprit
ce que signifiaient les chariots... des femmes
blanches. Il donna l'ordre qu'on installe le camp
à l'entrée de la vallée. Ten Bears était fier des
petits cercles de tipis bien alignés qui était la
manière exacte des Comanches. Ils n'étaient pas
négligents comme l'avaient été les Tonkaways,
mais les Tonkaways n'existaient plus. Les
Comanches les avaient tous tués.

Ten Bears haïssait et méprisait les Tonkaways. Des rumeurs avaient couru parmi les
Comanches, les Kiowas et les Apaches que les
Tonkaways mangeaient de la chair humaine.
Ten Bears savait que c'était vrai. Quand il
n'était qu'un jeune guerrier, alors qu'il venait
de passer les rites d'initiation, les Tonkaways
l'avaient capturé avec Spotted Horse, un autre
jeune brave.

On les avait attachés et pendant la nuit,
tandis que les Tonkaways étaient assis autour
du feu, l'un d'eux s'était levé et était venu vers
eux. Il tenait un couteau à la main et avait
découpé une tranche de chair dans la cuisse de

Spotted Horse et l'avait fait rôtir au-dessus des flammes. D'autres étaient venus prendre des morceaux de chair à Spotted Horse, aux jambes et aux cuisses, et ils l'avaient même complimenté de façon amicale sur la saveur de sa chair.

Ils s'étaient servis de tisons pour arrêter les fontaines de sang et pour le garder plus longtemps en vie. Ten Bears et Spotted Horse les avaient maudits mais Spotted Horse n'avait pas pleuré de peur ou de douleur, et il avait commencé son chant de mort.

Quand les Tonkaways s'étaient endormis, Ten Bears avait réussi à se libérer mais au lieu de s'enfuir, il s'était servi de leurs propres armes pour les tuer. Il était revenu chez les Comanches avec les chevaux capturés et le cadavre mutilé de Spotted Horse. Il était couvert du sang de ses ennemis. Il ne s'était pas lavé pendant une semaine et dans toutes les cabanes des Comanches, on avait chanté l'histoire de Spotted Horse et le courage de Ten Bears. Cela avait marqué l'ascension de Ten Bears vers le pouvoir et la fin des Tonkaways.

Maintenant, dans les ombres du crépuscule, les feux allumés par les femmes des sous-chefs s'étendaient le long de la rivière. Les tipis empêchaient toute entrée ou toute évasion.

Ten Bears connaissait la cabane de l'homme blanc au fond de la vallée, là où les montagnes se rejoignaient. Il s'était installé là pendant la période de paix, après une rencontre entre le Comanche et le chef des Tuniques bleues et des promesses qui ne seraient pas tenues. Une fois, Ten Bears était venu pour le tuer, lui et ses employés mexicains, mais quand il était arrivé à la maison avec ses guerriers, ils n'avaient trouvé personne.

Tout était en ordre dans la maison de l'homme blanc. Les feuilles dures dans lesquelles mangeait l'homme blanc étaient mises sur la table de cérémonie. Il y avait de la nourriture et des couvertures. Les chevaux de l'homme blanc et des Mexicains n'étaient plus là, mais les Comanches savaient qu'aucun homme ne s'en irait sans sa nourriture et ses couvertures. Et ils surent avec certitude que l'homme blanc avait été arraché à la terre parce que sa présence déplaisait à Ten Bears. Ils n'avaient pas touché à la maison de l'homme blanc... cela aurait été une mauvaise « médicine [1] ».

Plus tard, Ten Bears avait appris que l'homme blanc était allé rejoindre les Cavaliers gris qui luttaient contre les Tuniques bleues... mais il ne l'avait pas dit à ses guerriers. Ils auraient écouté et accepté ses paroles, mais ils avaient vu de leurs propres yeux la mystérieuse disparition. En outre, cela ajoutait au prestige de la légende de Ten Bears. Il fallait les laisser croire ce qu'ils voulaient.

Ten Bears se tenait seul devant ses tipis tandis que ses femmes préparaient le repas. Il regarda d'un air dédaigneux les « medicine men [2] » qui commençaient leurs chants. Il avait interdit les « medicine dances [3] » après avoir

1. Tout ce qui est mystérieux et inexplicable. Magie, sorcellerie. *(N.d.T.)*
2. Medicine-men, sorciers, guérisseurs. *(N.d.T.)*
3. Medicine-danses, danses rituelles pour s'attirer la protection des puissances surnaturelles ou entrer en contact avec l'au-delà. *(N.d.T.)*

découvert que les « medicine men » acceptaient de se laisser corrompre avec des chevaux par les braves qui ne voulaient pas danser, de la façon traditionnelle et épuisante, l'épreuve qui devait décider si la « medicine » était bonne ou mauvaise. Comme tous les chefs religieux, ils recherchaient le pouvoir et la richesse et étaient devenus des « langues-doubles », comme les politiciens. Ten Bears les regardait avec le dégoût inné du guerrier. Il autorisait leurs chants et leurs caquetages à propos des présages et des signes, des rituels et des cérémonies, mais il ne tenait aucun compte de leurs avis ou de leurs superstitions.

Josey dormait légèrement. Sa chambre était de l'autre côté de la salle par rapport à celle de Laura Lee. Il ne s'était pas encore habitué aux murs et au toit, ni au silence. Chaque nuit, Laura Lee l'entendait se lever plusieurs fois, marcher dans la salle au sol de pierre et retourner se coucher.

Elle sut qu'il était tard quand un sifflement très bas l'éveilla. Cela venait de la fenêtre de Josey et elle entendit ses pas, rapides et feutrés, qui traversaient la salle. Elle le suivit nu-pieds, une couverture par-dessus sa chemise de nuit et resta dans l'ombre, hors de la tache de lune qui brillait sur le sol de la cuisine. C'est Lone que Josey rencontra derrière la maison et Laura Lee les entendit parler.

« Des Comanches, dit Lone, tout autour de nous sur les crêtes. » Ses vêtements étaient mouillés et l'eau faisait de petites mares sur le sol.

« Où est-ce que t'as été ? » lui demanda calmement Josey.

« En bas de la vallée, jusqu'au bout. Ils sont une armée là-bas, peut-être deux ou trois cents guerriers... beaucoup de femmes. C'est pas un petit groupe en guerre. Ils font de la " medicine ", aussi je suis descendu dans la rivière pour m'approcher afin de lire les signes. Et écoute bien... » Lone se tut pour donner plus d'importance à sa nouvelle. « ... Tu sais quels sont les signes sur le tipi du chef ?... C'est Ten Bears ! Ten Bears ! Celui qui est le plus fou au sud de Red Cloud. »

Laura Lee frissonna dans l'obscurité. Elle entendit Josey demander : « Pourquoi est-ce qu'ils n'ont pas encore attaqué ?

— Eh ben, dit Lone, la lune est une lune comanche, il y a assez de lumière pour aller dans les Terrains de Chasse si l'un d'entre eux meurt. Mais ils font des " medicine " pour des choses importantes, ils vont sûrement au nord. Ils nous attaqueront au matin. Ils sont trop nombreux. »

Il y eut une longue pause avant que Josey demande : « Pas moyen de s'échapper ?

— Aucun... dit Lone... On pourrait passer par la crête mais il faudrait escalader les parois à pied et demain matin ils suivraient nos traces et nous rattraperaient sur la plaine, sans chevaux. »

A nouveau un long silence. Laura Lee pensa qu'ils étaient partis et s'apprêtait à jeter un coup d'œil par la porte quand elle entendit Josey dire :

« Aucun moyen. Va chercher Little Moonlight. » Il entra dans la cuisine et se cogna dans Laura Lee. Sans savoir ce qu'elle faisait, elle lui jeta les bras autour du cou.

Il la serra lentement contre lui et sentit son corps plein de désir. Elle tremblait et doucement, naturellement, leurs lèvres se rencontrèrent. C'est ainsi que Lone et Little Moonlight les découvrirent quand ils revinrent, debout dans la pâle clarté de la lune qui entrait par la porte de la cuisine. Le chapeau de Josey était tombé par terre et c'est Little Moonlight qui le ramassa et qui le lui tendit.

« Va chercher grand-mère », dit-il à Laura Lee.

Josey parla dans la faible clarté de la cuisine, d'une voix froide et neutre, comme un chef de guérilla. Grand-mère Sarah pâlit quand elle comprit la situation, mais elle ne dit rien. Little Moonlight, un fusil dans une main, un poignard dans l'autre, était à la porte de la cuisine et surveillait la crête.

« Si j'avais cherché un endroit pour soutenir un siège, dit-il, j'aurais choisi cette maison. Les murs et le toit ont deux pouces d'épaisseur, tout est en brique et ne brûle pas. Il n'y a que deux portes, une devant, une derrière et face à face. Ces petites croisées qu'on appelle des fenêtres sont faites pour tirer, en haut et en bas, et de chaque côté ; personne peut passer à travers. Le type... Tom... qui a construit la maison, en a placé tout autour, il n'y a aucun endroit aveugle. Little Moonlight tirera par là... » il indiqua la lourde porte qui s'ouvrait sur le devant de la maison, « ... Laura Lee se mettra à la porte de derrière. »

Josey fit une grande enjambée et se tint dans l'espace qui séparait la cuisine de la salle. « Grand-mère restera ici, dit-il, avec la poudre, les balles et les amorces, elle chargera les armes... vous saurez, grand-mère ?

— Je sais », dit grand-mère Sarah avec netteté.

« Maintenant, Lone, continua Josey, tu feras front à l'attaque, et jusqu'à la fin tu couvriras le couloir qui mène aux chambres.

— Pourquoi ? demanda Laura Lee. Pourquoi est-ce que Lone doit tirer dans le couloir ?

— Parce que le seul endroit aveugle, c'est le toit, dit Josey. Ils essaieront d'y monter. On peut pas tirer à travers le toit. Trop épais. Ils vont creuser une douzaine de trous pour descendre dans les chambres. C'est pour ça qu'on va entasser des bûches à la porte du couloir. Tout ce qu'on va défendre, c'est ces deux portes et l'espace qu'il y a entre elles. Quand on ira de ce côté-là, ajouta-t-il amèrement, le combat s'ra presque terminé, d'une façon ou d'une autre. Rappelez-vous, quand tout ira mal ; quand vous aurez l'impression que vous ne pouvez plus tenir, ça veut dire qu'il faut se décider vite. Il faut utiliser tous les moyens, même les pires et vous vous en sortirez. Si vous perdez la tête et si vous flanchez, vous êtes finis et vous ne méritez plus de gagner, ni même de vivre. C'est comme ça. »

Puis il s'adressa à Lone appuyé au mur de la cuisine. « Sers-toi de pistolets à faible portée, on met moins de poudre et ils sont plus efficaces. A l'aube, on va allumer un feu dans la cheminée et on va mettre des tisonniers dedans, il faut qu'ils restent rouges. Si quelqu'un est blessé, il faut crier... Lone prendra un tisonnier... on n'a pas le temps d'arrêter le sang autrement. »

Josey les regarda. Ils étaient tendus mais pas une larme ni un soupir. Ils étaient solides, jusqu'à la moelle des os.

Ils travaillèrent dans l'obscurité, transportant de l'eau, et entassant sur la table de la cuisine les pistolets et les fusils des Comancheros. Il y avait vingt-deux Colts 44 et quatorze fusils. Lone vérifia le chargement des armes. Ils placèrent les tonnelets de poudre, les balles et les amorces sur le sol et transportèrent de lourdes bûches qu'ils posèrent verticalement à l'entrée du couloir en ne laissant que la place de passer un canon entre elles.

Il faisait encore nuit quand ils se reposèrent mais les oiseaux avaient commencé leurs premiers gazouillis. Grand-mère Sarah sortit des biscuits et du bœuf et ils mangèrent en silence. Quand ils eurent fini, Josey enleva sa veste de peau. Sa chemise jaune de guérillero était ample, presque comme un corsage de femme. Le colt de marine faisait une bosse sous son épaule gauche.

Il tendit sa veste à Laura Lee. « M'est avis que j'ai pas besoin de ça, dit-il, ça me plairait si tu me la gardais. » Elle prit la veste sans dire un mot. Josey se tourna vers Lone et lui dit d'une voix traînante : « M'est avis que j' vais monter en selle maintenant. »

Lone approuva de la tête et Josey était sorti et marchait vers le corral quand Laura Lee et grand-mère Sarah se rendirent compte de ce qu'il avait dit.

« Qu'est-ce...? dit grand-mère Sarah stupéfaite, qu'est-ce qu'il fait ?... »

Laura Lee se précipita vers la porte mais Lone l'attrapa par les épaules et la retint.

« Ce n'est pas bon pour lui qu'une femme lui parle maintenant », dit Lone.

« Où est-ce qu'il va ?... Qu'est-ce qu'i se passe ? » dit-elle comme une folle.

Lone la recula de la porte et se mit devant les deux femmes. « Il sait que le mieux qu'il peut faire pour nous, c'est sur le dos d'un cheval. C'est un guérillero... ils attaquent toujours l'ennemi, c'est ce qu'il va faire. » Lone parlait lentement et calmement. « Il va aller dans la vallée pour tuer Ten Bears et beaucoup de ses chefs et de ses guerriers. Quand les Comanches arriveront... la tête des Comanches sera écrasée... et leur échine brisée. C'est Josey Wales qui fera ça, et si nous faisons comme il nous a dit, nous pourrons... nous vivrons.

— Dieu tout-puissant ! » dit grand-mère Sarah d'une voix presque inaudible.

Laura Lee murmura : « Il va dans la vallée... pour mourir. »

Un sourire découvrit les dents de Lone. « Il va dans la vallée pour combattre. La mort l'a accompagné pendant de nombreuses années. Il n'y pense pas. » La voix de Lone se brisa sous l'émotion. « Ten Bears est un grand guerrier. Il ne connaît pas la peur. Mais aujourd'hui, il va rencontrer un autre grand guerrier, c'est un privilège que peu d'hommes connaissent. Ils le sauront quand ils seront face à face, Ten Bears et Josey Wales... ils connaîtront leurs haines et leurs amours, mais ils connaîtront aussi la fraternité du courage, ce que l'homme mesquin ne connaîtra jamais. » La voix de Lone qui vibrait était devenue primitive et sauvage malgré le soin avec lequel il choisissait ses mots.

Une faible lueur toucha la crête à l'est du canyon et découpa la silhouette des guerriers comanches tassés sur leurs chevaux. Ils entouraient le ranch sur la crête. C'est dans cette lumière que Josey arriva sur le rouan, qui frémissait et piaffait, derrière la maison.

Laura Lee eut un sanglot et elle se précipita vers la porte. Lone l'attrapa et la retint quelques instants. « Ça lui plaira pas si vous pleurez », murmura-t-il. Elle s'essuya les yeux et ne trébucha qu'une fois en s'avançant vers le cheval. Elle posa la main sur sa jambe, incapable de parler et leva les yeux vers lui installé dans sa selle.

Il posa lentement la main sur la sienne et une infime lueur d'humour adoucit ses yeux noirs. « T'es une vraie fille du Texas, Laura Lee, dit-il doucement. Si le Texas avait une reine, ce serait toi... parce que t'es exactement comme le pays... comme un bon fusil dans la main, comme un cheval de pure race. Souviens-toi de c' que j' te dis... parce que c'est vrai. »

Laura Lee avait les yeux pleins de larmes et elle ne pouvait pas parler. Elle fit demi-tour et se précipita vers le porche. Lone était près du cheval et tendit la main pour saisir celle de Josey. L'étreinte était virile... celle de deux frères. Lone était nu jusqu'à la ceinture et avait deux traits blancs en travers des joues et un autre sur le front. C'était la peinture de mort des Cherokees... qui ne donnaient ni ne demandaient de quartier à l'ennemi.

« On va réussir, dit Lone à Josey, mais... sinon... aucune femme ne survivra. »

Josey fit un signe de tête mais ne dit rien. Il tourna son cheval vers la piste. Quand il passa, Little Moonlight toucha la botte de Josey avec le poignard dont elle se servait pour scalper... le tribut de la femme cheyenne qu'on n'offrait qu'aux plus grands guerriers allant vers leur mort.

Quand il traversa la cour, grand-mère Sarah cria et sa voix était claire : « Que le Seigneur soit avec toi, Josey Wales ! » Mais s'il entendit, il ne laissa rien voir car il ne tourna pas la tête et ne leva pas la main en guise d'au revoir. Les larmes coulaient sans retenue sur le visage fané de grand-mère Sarah. « Peu m'importe ce qu'ils disent... » Elle se couvrit le visage avec son tablier et rentra dans la cuisine.

Laura Lee se précipita à la porte de la cour et le regarda ; le rouan, tenu les rênes serrées, frémissait tandis que Josey Wales descendait la vallée en suivant le ruisseau. Il disparut derrière un rocher en avancée.

20

Ten Bears se réveilla dès l'aube dans son tipi et chassa d'un coup de pied la jeune squaw, nue et voluptueuse, alanguie sous sa couverture. Elle était paresseuse. Ses cinq autres femmes avaient déjà allumé le feu. Trois d'entre elles attendaient un enfant. Il espérait que ce seraient des garçons, mais en secret, il savait qu'ils arriveraient trop tard pour le suivre. Ils grandiraient, monteraient à cheval et combattraient dans la légende de Ten Bears. Mais Ten Bears serait mort, tombé dans une bataille. Il le savait.

Les deux seuls fils qu'il avait eus étaient morts aux mains des Tuniques bleues. L'un d'eux avait même été tué lâchement sous le drapeau blanc que les Tuniques bleues utilisaient. Ten Bears y pensait chaque matin. Cela le rendait sombre et ranimait en lui la flamme de la haine et de la vengeance que le sommeil avait éteinte dans son esprit et dans son cœur.

L'amertume emplit sa gorge et sa bouche. Tout ce qu'il aimait, cette terre libre, ses fils, ses femmes, l'homme blanc l'avait violé, en particulier les Tuniques bleues. Il mordit violemment dans son morceau de viande et avala d'énormes bouchées. Même les bisons. Une fois, il était arrivé dans une immense plaine et à perte de vue gisaient des carcasses pourrissantes de bisons. L'homme blanc les avait tués. Pas pour la nourriture, pas pour les peaux, mais dans une sorte de cérémonie sauvage que l'homme blanc appelait « sport ».

Ten Bears se leva et essuya ses mains grasses sur ses pantalons de peau. Il trempa deux doigts dans un pot et se traça un trait bleu en travers des joues et du front. Le visage de la mort chez les Comanches.

Maintenant, ils iraient à la maison de l'homme blanc. Il les voulait vivants si possible. Ainsi il pourrait effacer lentement la couleur de leurs yeux et leur faire hurler leur lâcheté. Ainsi il pourrait leur arracher la peau de sur leur corps et de sur leur bas-ventre, là d'où jaillissait la vie chez les hommes. On donnerait les femmes aux guerriers pour qu'ils les violent. Et si elles survivaient, on les donnerait aux guerriers qui les auraient capturées. Les enfants sauraient ce qu'était la colère de Ten Bears.

Ses guerriers poussèrent des cris. Ils avaient sauté sur leurs chevaux et montraient le haut de la vallée du doigt. Ten Bears fit signe qu'on lui amène son cheval blanc. Une femme l'amena. Il sauta avec aisance sur le dos de l'animal et se dirigea vers le centre de la vallée, là où étaient réunis les chefs et les guerriers. Le soleil était apparu au-dessus du rebord du canyon et Ten Bears se protégea les yeux. A un mile, on pouvait voir la silhouette d'un cavalier.

Il marchait lentement et Ten Bears s'avança à sa rencontre. Les chefs le suivirent. Ils portaient tous des coiffures de guerre différentes. Et derrière les chefs, un rang de deux cents guerriers barrait presque toute la largeur de la vallée.

Ten Bears ne portait pas de coiffe, seulement une plume. Il méprisait ces choses prétentieuses. Mais on ne pouvait pas s'y tromper. Nu jusqu'à la ceinture, un fusil en équilibre sur le dos de son cheval, il marchait dix pas en avant et avait l'allure de celui qui est né pour commander.

En avançant dans les hautes herbes, les nombreux chevaux des Comanches, portant sur leur dos des guerriers demi-nus aux visages recouverts d'horribles peintures, produisaient un sifflement sinistre. En arrière, près des tipis, un tambour commença le battement sourd et inquiétant de la mort. Ten Bears jeta un coup d'œil aux rebords du canyon et vit ses éclaireurs qui revenaient en suivant le cavalier solitaire. Ils faisaient des signes. Un seul homme venait à sa rencontre.

Ten Bears sentait que l'étonnement contrebalançait sa haine. L'homme ne portait pas le drapeau blanc détesté, et pourtant il s'avançait nonchalamment, sans s'inquiéter, mais Ten Bears remarqua qu'il dirigeait son cheval droit vers lui.

Il était maintenant à moins de cent mètres... Quel cheval! Il aurait convenu à un chef! Plus grand et plus puissant que le sien. Il se cabrait presque en levant haut les jambes et ses naseaux frémissaient. Maintenant, il distinguait l'homme. Il n'avait pas de fusil, mais Ten Bears vit les crosses de nombreux pistolets qui sortaient des étuis accrochés à la selle et l'homme

portait sur lui trois autres pistolets. Un guerrier.

Il portait le chapeau des Cavaliers gris et
tandis qu'il s'approchait, ce que Ten Bears avait
d'abord pris pour une peinture de guerre se
révéla être une longue cicatrice sur la joue. Il
vint si près qu'ils faillirent se toucher, et Ten
Bears s'arrêta le premier. Le grand rouan se
cabra et un murmure d'admiration s'éleva des
rangs des guerriers comanches.

Ten Bears regarda les yeux noirs aussi durs et
impitoyables que les siens. Le corps du chef fut
parcouru d'un frisson quand il pensa au combat
avec un grand guerrier pour éprouver son propre courage. Le cavalier tira de sa botte un long
poignard, et les chefs qui étaient derrière Ten
Bears s'avancèrent en poussant un grondement
menaçant. Le cavalier sembla ne pas s'en aper-
cevoir et se tailla une énorme chique qu'il
s'enfourna dans la bouche. Ten Bears n'avait
pas bougé un cil, mais il admirait secrètement
l'audace du guerrier.

« Tu es Ten Bears », dit Josey d'une voix
traînante en crachant entre les pattes du cheval
blanc. Il ne l'avait pas appelé « chef » ni
« grand », comme le faisaient les Tuniques
bleues avec lesquelles il avait parlé. Sa désin-
volture avait quelque chose de l'insulte mais
Ten Bears comprit. Il parlait comme un chef,
pas comme une langue-double.

« Je suis Ten Bears », dit-il lentement.

« Je m'appelle Josey Wales », dit Josey. Ten
Bears chercha dans ses souvenirs et il sut.

« Tu es des Cavaliers gris et tu n'as pas fait la
paix avec les Tuniques bleues. C'est ce qu'on
m'a dit. » Ten Bears se retourna et fit un signe

de la main. Les chefs et les guerriers se séparè-rent en deux en ouvrant un passage.

« Tu peux aller en paix », dit-il. C'était un beau geste qui était digne d'un grand chef et Ten Bears n'était pas peu fier de sa magnani-mité. Mais Josey Wales ne fit aucun geste.

Il dit d'une voix traînante : « M'est avis qu' j'ai pas l'intention d' m'en aller. J'ai nulle part à aller. »

Les chevaux des guerriers comanches s'ap-prochèrent devant ce refus. Ten Bears cria d'une voix pleine de colère : « Alors tu mourras.

— M'est avis, dit Josey, que j' suis v'nu ici pour mourir ou pour vivre avec toi. » Il fit une pause pour laisser Ten Bears apprécier le poids de ses paroles. « Tout ce qui nous était cher, à toi et à moi, a été détruit. C'est ce gouvernement à langue double de serpent qui a fait ça. Le gouvernement raconte des mensonges, il pro-met, il donne des coups de poignard dans le dos, il vient manger dans ta maison, et il viole tes femmes et tue quand tu dors, sûr de ses promes-ses. Le gouvernement est tout seul, les hommes vivent ensemble. On ne peut pas avoir une parole juste des hommes du gouvernement, ni un combat juste. J' suis v'nu pour te donner l'un des deux, ou pour que tu me le donnes. »

Ten Bears se raidit sur son cheval. Josey Wales avait plus de haine que lui, de la haine pour ceux qui avaient tué ce que tous deux aimaient. Il attendit sans parler que le hors-la-loi continue.

« Là-bas », dit Josey en montrant du pouce par-dessus son épaule, « il y a mon frère, un Indien qui était avec les Cavaliers gris et une squaw cheyenne qui est aussi de la famille. Il y a une vieille squaw et une jeune qui sont à moi. C'est tout, mais ils sont comme moi... Si ça vaut la peine de se battre pour eux, ça vaut la peine de mourir pour eux... ou de ne pas se battre. Ils vont se battre et mourir. Je ne suis pas venu ici sous un drapeau blanc menteur afin d'en profiter pour te tuer. Je suis venu comme ça, ainsi tu sais que ma parole de mort est vraie... et aussi ma parole de vie. »

Josey montra la vallée. « L'ours vit ici... avec le Comanche. Le loup, les oiseaux, l'antilope... et le coyote. Nous aussi nous y vivrons. On ne creusera pas la terre avec le bâton de fer... je t'en donne ma parole. On ne tuera pas le gibier pour le sport... on ne tuera que pour manger, comme les Comanches. Chaque printemps, quand l'herbe pousse et que le Comanche remonte vers le nord, il pourra se reposer ici en paix, tuer du bétail et faire sécher de la viande et quand l'herbe deviendra brune, le Comanche pourra faire la même chose quand il redescend chez les Mexicains. Le signe des Comanches sera sur toutes les bêtes. » Josey agita la main pour faire le signe du serpent. « Je le mettrai sur ma maison, sur les arbres et sur les chevaux. C'est ma parole de vie.

— Et ta parole de mort ? » demanda Ten Bears d'une voix sourde et menaçante.

« Ce sont mes pistolets, dit Josey, et ton fusil. Je suis là pour l'une ou l'autre », ajouta-t-il en haussant les épaules.

« Ce que tu dis, nous l'avons déjà », dit Ten Bears.

« C'est vrai, dit Josey. Je ne t'ai rien promis d'autre. Sinon d'épargner ta vie ou que tu épargnes la mienne. Je dis que les hommes peuvent vivre ensemble sans s'entre-tuer et sans prendre plus que ce qu'il leur faut pour vivre. Je sais que je n'ai pas grand-chose à proposer... mais je suis pas fait pour les grands discours, ni pour les belles promesses. »

Ten Bears regardait droit dans les yeux brûlants de Josey Wales. Les chevaux tapaient du pied et piaffaient et la ligne des guerriers, qui sentaient venir la fin des pourparlers, commençait à s'animer.

Josey leva lentement les rênes et les plaça entre ses dents. Ten Bears le regarda impassible, mais il ne put s'empêcher de l'admirer. Comme un guerrier comanche, droit et sûr de lui. Josey Wales ne parlerait plus.

Ten Bears parla. « C'est triste que les gouvernements soient dirigés par des langues doubles. Tes paroles de mort sont d'acier mais tes paroles de vie aussi. Les papiers qu'on signe n'ont pas la valeur de l'acier, cela ne peut venir que des hommes. Tout le monde sait que la parole de mort de Ten Bears est aussi d'acier, comme sa parole de vie. C'est bien que des guerriers comme nous se rencontrent dans un combat pour la mort, ou pour la vie. Ce sera la vie. »

Ten Bears tira de sa ceinture un poignard à scalper et fit glisser la lame sur sa paume. Il leva la main bien haut pour que tous ses chefs et les guerriers puissent voir le sang qui coulait sur son bras nu. Josey tira son couteau de sa botte et s'entailla sa propre paume. Ils s'approchèrent, placèrent leurs mains l'une contre l'autre et les tinrent serrées.

« Qu'il en soit ainsi », dit Ten Bears.

« M'est avis qu'on est de la même famille », dit Josey.

213

Ten Bears fit tourner son cheval et traversa la ligne de chefs et de guerriers qui le suivirent lentement vers les tipis. Les tambours de mort s'arrêtèrent et dans le silence qui suivit, un cri viril emplit la vallée de l'appel de la vie.

C'est Lone qui l'aperçut le premier quand il contourna le rocher et qu'il remonta le dernier mile. C'est Laura Lee qui ne put attendre. Elle sortit de la cour en courant et descendit la piste, ses longs cheveux blonds flottant derrière elle. Grand-mère Sarah, Little Moonlight et Lone restèrent debout sous le grand cotonnier et regardèrent Josey ouvrir les bras à Laura Lee et la hisser devant lui sur sa selle. Quand ils s'approchèrent, grand-mère Sarah put voir à travers ses larmes que Josey tenait Laura Lee dans ses bras et que Laura Lee se serrait contre lui et que sa tête reposait sur sa poitrine.

Grand-mère Sarah ne put retenir son émotion, elle se tourna vers Lone et lui dit sèchement : « Maintenant, vous pouvez enlever cette horrible peinture de votre visage. »

Lone attrapa grand-mère Sarah dans ses bras et la jeta en l'air en riant tandis que Little Moonlight dansait autour d'eux en poussant des cris. Grand-mère Sarah hurlait mais elle était heureuse car lorsque Lone la reposa à terre, elle lui donna une grande tape, ramassa ses jupes et se précipita à la cuisine. Tandis que Josey et Laura Lee entraient dans la cour, ils purent l'entendre par la fenêtre de la cuisine. Grand-mère Sarah préparait le repas et chantait.

Ils en parlèrent à table. La marque pour les bêtes serait la Crooked River. Lone fabriquerait les fers à marquer et leur donnerait la forme du signe des Comanches.

« Ça nous coûtera une centaine de têtes à chaque printemps, dit Josey à grand-mère Sarah. Et une centaine à chaque automne pour les Comanches de Ten Bears... ainsi nous tiendrons notre parole. Mais j' pense qu'il y a trois ou quatre mille bêtes dans la vallée... vous pourrez en vendre deux mille tous les ans pour pas épuiser l'herbe.

— C'est bien assez ! dit grand-mère Sarah. Même cinq cents par an ce serait bien. La parole donnée doit être respectée.

— Il faut que je trouve des hommes pour marquer les bêtes », dit Josey.

Lone regarda la vieille carte. « La ville la plus proche c'est Santo Rio, au sud.

— J' partirai demain matin », dit Josey.

Laura Lee le rejoignit dans sa chambre cette nuit-là, pâle dans la clarté de la lune qui dessinait de grandes croix de lumière sur le plancher en passant par la fenêtre. Elle le regarda allongé sur le lit pendant un long moment et voyant qu'il ne dormait pas elle lui murmura : « Est-ce que... tu pensais c' que tu disais... à propos da moi... quand tu as dit que j'étais... comme tu as dit ?

— Je le pensais, Laura Lee », répondit Josey. Elle vint dans son lit et s'endormit après un long moment... mais Josey Wales ne dormait pas. Au plus profond de lui-même un léger espoir était né. La promesse d'une nouvelle vie, une renaissance à laquelle il n'aurait jamais pu croire. La froide lumière de l'aube le ramena à la réalité mais l'espoir était toujours là, et avant de partir pour Santo Rio il embrassa longuement et secrètement Laura Lee.

Il descendit la vallée. Les Comanches étaient partis. Mais il trouva une lance plantée en terre avec trois plumes de paix, la parole d'acier de Ten Bears. Il se dirigea au sud en pensant que si cela était possible, la vie dans la vallée avec Laura Lee, avec Lone, avec les siens, il la devrait aux mains sanglantes de Ten Bears. La brute sauvage. Mais qui pouvait dire ce qu'était un sauvage ? Peut-être qu'après tout, les langues doubles avec leurs manières policées et leurs façons sournoises étaient les vrais sauvages.

Quatrième Partie

21

Kelly, le tenancier du Lost Lady Saloon[1], chassait les mouches. Des gouttes de sueur lui tombaient du bout du nez et coulaient sur son visage marqué de petite vérole. Il pestait contre l'implacable chaleur de midi, contre le soleil aveuglant au-delà des portes battantes et contre la monotonie de tout.

Ten Spot, avec ses manchettes élimées et ses moustaches de dandy, distribuait des cartes, sur la table du coin, aux seuls clients, un cow-boy maigre comme un clou et un vaquero mexicain misérable.

« Quinte possible », dit Ten Spot et il jeta ses cartes sur la table.

« Je relance », ricana Kelly et il écrasa une mouche posée sur le comptoir.

« Bande de flambeurs à la noix », murmura-t-il assez haut pour que Ten Spot entende, mais le joueur ne leva pas les yeux. Kelly avait vu de *vrais* joueurs à La Nouvelle-Orléans, avant d'être obligé de partir.

1. Lost Lady Saloon : Saloon de la dame perdue. *(N.d.T.)*

Rose sortit d'une chambre, derrière, bâilla et arracha un peigne planté dans ses cheveux ébouriffés.

« Saloperie », dit-elle en jetant le peigne sur une table. Elle donna un coup sur le bar et Kelly fit glisser adroitement un verre et une bouteille de whisky jusque devant elle.

« Il avait combien ? » demanda Kelly.

Rose dédaigna le verre et but une large rasade à la bouteille. « Deux dollars et vingt-cinq cents », dit-elle en jetant l'argent sur le comptoir. Elle avait le regard dur et brillant d'une femme qui sort du lit et la bouche barbouillée de rouge.

« Merde ! » dit Kelly en ramassant l'argent.

Rose se versa du whisky dans le verre pour boire tranquillement. « Ouais, dit-elle philosophiquement, j' suis p'us une jeune pouliche. J'aurais dû l' payer. » Elle regarda rêveuse les bouteilles derrière le comptoir. Elle n'était plus jeune, en effet. Ses cheveux étaient censés être roux ; en tout cas c'est ce qu'il y avait écrit sur l'étiquette de la bouteille de teinture. En fait ils étaient orange avec des traînées grises. Son visage s'était affaissé sous le poids des années et du péché, et ses énormes seins étaient soutenus de façon précaire dans un bustier monstrueux. Il n'y avait pas de concurrence à Santo Rio. Pour Rose c'était la dernière étape.

Rose était comme la ville, moribonde sous le soleil. Seuls des hommes désespérés ou perdus avaient besoin de leurs services. Ils passaient là rapidement, fuyant des lieux où ils ne pouvaient plus mettre les pieds, et regardant la pendule égrener les heures. Le bout de la route.

Josey Wales passa devant le Majestic Hotel,

appellation prétentieuse sur une enseigne délavée. Un bâtiment d'un étage avec un porche à moitié effondré. Un cheval était attaché devant et Josey jeta un coup d'œil sur l'état de la bête et sur le harnachement. C'était un trop bon cheval pour un cow-boy moyen, il avait des harnais trop propres, des jambes trop longues. Il n'y avait que deux autres chevaux dans la ville, immobiles devant le Lost Lady Saloon et le vent secouait leur queue entre leurs jambes.

Il passa devant le bazar et alla attacher le grand rouan près des deux autres chevaux. Ils appartenaient à des cow-boys. Pas une âme dans les rues. Santo Rio devait être une ville nocturne. Une ville frontière que l'on traversait de nuit.

Quand Josey Wales entra dans le Lost Lady Saloon, Rose se recula instinctivement le long du bar. Une fois, à Bryan, elle avait vu Bill Longley et Jim Taylor, mais ils avaient l'air d'enfants de chœur à côté de celui-là. Un vrai voyou. Il avait des colts 44 attachés bas ; il entra trop rapidement en laissant la lumière derrière lui, il jeta un coup d'œil dans la pièce puis s'avança directement vers Rose, au bout du comptoir, et s'installa de façon à avoir le bar et la porte devant lui.

Sous son chapeau baissé, son regard noir et dur se posa un instant sur Rose... Tonnerre !... Cette cicatrice en travers de la joue. Rose sentit ses cheveux se dresser sur sa tête. Le cow-boy et le vaquero se tournèrent dans leurs fauteuils pour le regarder et revinrent précipitamment à leurs cartes.

Kelly montra qu'il acceptait tout le monde en

posant les deux mains sur le comptoir. Ten Spot semblait n'avoir rien remarqué... il distribuait.

« Whisky ? » demanda Kelly.

« Une bière, m'est avis », répondit Josey négligemment. Kelly fit couler la bière brune et mousseuse et posa la chope devant Josey. Josey laissa tomber une pièce de vingt dollars en or et Kelly la ramassa et la retourna dans ses mains.

« La bière coûte que cinq cents », dit-il comme en s'excusant.

« Eh ben, dit Josey d'une voix traînante, m'est avis qu' vous pouvez donner deux bouteilles aux gars qui sont à la table... La dame prendra bien que'que chose et vous aussi.

— Ben, c'est aimable à vous », dit Kelly le visage souriant. Un grand escroc, se dit-il, de la classe, l'argent leur glisse des mains à ces types.

« Merci, monsieur », murmura Rose.

A la table, le cow-boy se retourna et fit un signe de la main en guise de remerciement. Le vaquero toucha le bord de son sombrero. « *Gracias, señor.* » Ten Spot cligna des yeux vers Josey et fit un petit signe de la tête.

Josey but la bière tiédasse. « J' cherche des hommes. J'ai plusieurs centaines de bêtes au nord... »

Le vaquero se leva et s'approcha du bar. « Señor, dit-il poliment, mon *compadre* », il montra le cow-boy qui s'était levé, « et moi-même on connaît bien le bétail et... » il rit et ses dents blanches brillèrent sous sa moustache, « ... on est un peu... dans une mauvaise passe, comme vous dites. » Le vaquero tendit la main à Josey. « Je m'appelle Chato Olivares, señor, et lui », il montra le cow-boy maigre qui s'avançait, « c'est le señor Travis Cobb. »

Josey serra la main du vaquero et du cow-boy. « Content de conclure avec vous », dit-il. Il évalua qu'ils avaient tous les deux passé la quarantaine. Le Mexicain avait les cheveux grisonnants et le cow-boy était assez dégarni. Ils portaient des vêtements fatigués et des bottes usées. Travis Cobb avait des yeux gris impénétrables comme ceux de Chato, noirs et pétillants d'humour.

Ils ne portaient tous deux qu'un seul pistolet mais leurs mains avaient les cals de ceux qui manient les lassos. Des mains de cow-boys. Josey se décida très vite.

« Cinquante dollars par mois et la nourriture, dit-il.

— Vendu », dit Travis Cobb d'une voix traînante et son visage buriné s'éclaira d'un large sourire. « Vous auriez pu nous avoir pour la nourriture, Chato et moi. J' crois qu'on va pas pouvoir attendre de s'emplir le ventre au ranch. » Il se frotta les mains. Josey compta cinq pièces de vingt dollars sur le comptoir.

« Le premier mois d'avance », dit-il. Chato et Travis regardaient les pièces sans en croire leurs yeux.

« *Holà !* » dit Chato dans un souffle.

« Avant d' m'acheter des bêtises comme des bottes et des pantalons, dit Travis Cobb, j' vais r' tenter ma chance. »

Ils retournèrent tous les deux à la table du coin et Ten Spot commença à battre les cartes.

Kelly se sentait généreux. Il fit glisser une autre chope de bière devant Josey qui ne l'avait pas demandée, et Rose s'approcha de lui. Kelly avait remarqué que l'étranger au visage balafré n'avait pas donné son nom en serrant la main des autres, mais il n'y avait rien d'anormal à cela au Texas. C'était habituel et demander à quelqu'un comment il s'appelait était considéré comme hautement impoli pour ne pas dire plus.

« Alors, comme ça, dit Kelly d'un ton cordial, vous avez un ranch, j'aurais jamais pensé... » Il laissa sa phrase en suspens. Ses yeux venaient de rencontrer un morceau de papier sur l'étagère en dessous. Il l'attrapa et le posa sur le comptoir.

« C'est... c'est pas mes affaires, étranger. J'ai jamais affiché un truc comme ça. C'est un chasseur de prime... un délégué spécial comme il disait... qu'a laissé ça ici, il y a pas une heure. »

Josey regarda le papier et se reconnut. C'était un portrait ressemblant dessiné par une main d'artiste. Le chapeau des Confédérés... les yeux noirs et la moustache... la cicatrice. On ne pouvait pas s'y tromper. En dessous du portrait on racontait son histoire et cela se terminait ainsi : *Très rapide et excellent tireur. Ne se rendra pas. Ne pas essayer de le désarmer. Recherché mort. 7 500 dollars de récompense.* » *Josey Wales* était écrit en très grosses lettres.

Rose s'était approchée pour lire. Mais elle s'éloigna du bar. Josey leva les yeux. On ne pouvait pas se tromper sur l'homme qui venait d'entrer. Il portait d'élégants vêtements de cuir. Il était grand et maigre. Il avait un pistolet attaché bas sur sa jambe droite. Josey regarda ses yeux pâles presque sans couleur d'un air de défi. C'était un professionnel et manifestement, il connaissait son affaire.

Josey fit un pas en avant et il se courba à moitié. Rose en reculant avait bousculé une table et elle restait à moitié penchée, à moitié debout, pétrifiée. Kelly avait le dos collé aux bouteilles et Ten Spot, Chato et Travis Cobb s'étaient retournés et restaient immobiles dans leurs fauteuils. Le tic-tac de la vieille pendule Seth Thomas [1] la fierté de Santo Rio, résonnait bruyamment dans la pièce. Le vent gémit à l'extérieur et poussa un peu de sable sous la porte à deux battants. Le chasseur de prime parla d'un ton neutre.

« Vous devez être Josey Wales.

— M'est avis », répondit Josey d'une voix faussement insouciante.

« Tu es recherché, Wales, dit-il.

— M'est avis que j' suis célèbre », répondit Josey d'un ton cynique.

Tout redevint à nouveau silencieux. Le bourdonnement d'une mouche semblait énorme. Le chasseur de prime battit des paupières le premier et Josey murmura presque : « C'est pas nécessaire, fiston, tu peux repartir et prendre ton cheval. »

Le battement des paupières s'accéléra et soudain il fit demi-tour et sortit dans la rue en poussant les portes battantes.

Tout le monde se détendit... sauf Josey. Il resta dans la même position tandis que Kelly se mettait à crier et que Rose s'affalait dans un fauteuil et s'essuyait le visage avec sa robe. Mais cela ne dura qu'un instant. Le chasseur de prime entra à nouveau dans le saloon. Il avait le visage blême et un regard désespéré.

1. Seth Thomas (1785-1859) célèbre fabricant de pendules. (*N.d.T.*)

« Il fallait que je revienne », dit-il d'un ton étonnamment calme.

« Je sais », dit Josey. Il savait que quand un homme comme lui avait flanché, il allait à la mort. Ses nerfs craquaient et sa réputation volait en éclats. Il ne survivrait pas à l'histoire de sa chute qui le précéderait partout où il irait.

Le chasseur de prime baissa la main vers son pistolet, avec calme et assurance. Il était rapide. Il dégageait l'arme quand une balle de colt 44 l'atteignit en dessous de la poitrine. Il tira deux balles dans le plancher du saloon. Son corps se plia en deux comme une fleur qui se referme pour la nuit et il glissa lentement sur le sol.

Josey Wales était debout, les jambes légèrement écartées, et de la fumée sortait du pistolet qu'il tenait dans la main droite. Et la fumée lui dit qu'il ne pouvait y avoir de nouvelle vie pour Josey Wales.

Il le laissa, face contre terre, après s'être arrangé avec Ten Spot et Kelly pour l'enterrement... Ils se partagèrent les maigres richesses du mort en paiement. Telles étaient les convenances et la justice au Texas.

« Je lirai quelque chose sur sa tombe », promit Ten Spot, et Josey, Chato et Travis Cobb dirigèrent leurs chevaux au nord vers le ranch de Crook River. Ils passèrent devant l'endroit où serait enterré, anonymement, le chasseur de prime ; avec une simple croix pour marquer une nouvelle mort violente sur les plaines sauvages du Texas.

22

Chato Olivares et Travis Cobb s'attachèrent au ranch de Crook River comme « des faucons sauvages sur un marécage », ainsi que disait Lone. Ils maniaient bien le lasso et étaient d'excellents cavaliers... et des convives enthousiastes à la table de grand-mère Sarah. Ils vivaient dans le bâtiment des employés mais prenaient leurs repas, avec tout le monde, dans la cuisine de la maison principale. Grand-mère Sarah rayonnait et appréciait les manières et la courtoisie de Chato Olivares. Elle en remercia le Seigneur dans un de ses sermons du dimanche, ajoutant que « de telles manières nous faisaient comprendre ce qu'était la civilisation et que certains devraient les imiter ».

Josey et Lone accompagnaient les cow-boys à la recherche des bêtes dans les creux encombrés de broussailles pour les ramener dans la vallée. C'était un travail pénible pendant lequel on attrapait des suées. On se levait avant l'aube et on s'occupait des bêtes jusqu'à la tombée de la nuit. Ils construisirent un corral en forme d'éventail dans un des petits vallons. Il se rétrécissait jusqu'à ne laisser passage qu'à une seule bête sous une chute d'eau. C'est là qu'ils marquaient les bêtes du signe des Comanches avant de les libérer dans la prairie.

Seuls les veaux et le bétail non marqué devaient être attachés et jetés à terre. Chato et Travis étaient experts au lasso. C'étaient deux travailleurs fiers de leur métier.

Josey attendit tous les mois d'été. Il savait qu'il aurait déjà dû être parti... avant que des hommes viennent le chercher. Avant que ceux qu'il aimait ne soient entraînés dans la violence à cause de leur loyauté. Il maudissait secrètement sa faiblesse mais il reportait son départ qui le faisait rester, et savourait les dures journées de travail, les flâneries avec les cowboys après la tâche quotidienne ; même les « services » du dimanche ; la paix des après-midi quand il se promenait avec Laura Lee sur les berges de la rivière et près de la chute d'eau. Ils s'embrassaient et se tenaient la main ; ils faisaient l'amour dans l'ombre des saules ; le visage de Laura Lee rayonnait de bonheur, et comme toutes les femmes, elle faisait des projets. Josey Wales s'habituait à son sentiment de culpabilité. Au péché de rester là où il n'aurait pas dû. Il ne pouvait pas le lui dire.

Progressivement, Josey laissa la direction du ranch à Lone et s'en alla seul à cheval. Il envoya Travis Cobb vers les ranches de la frontière pour savoir si des troupeaux s'apprêtaient à partir, à quel endroit on pouvait les regrouper... au printemps... pour monter au nord. Travis revint et rapporta de bonnes nouvelles de la piste

Goodnight-Loving qui traversait le Nouveau-Mexique, le Kansas et finissait à Denver.

Un soir, à souper, Josey leur avait presque dit ses projets, quand grand-mère Sarah avait proposé soudain que Josey accepte un quart du ranch. « C'est tout à fait normal », avait-elle dit.

Josey avait regardé tout autour de la table et avait secoué la tête. « J' préférerais qu'on donne ma part à Lone... Il vieillit... p'têt' que l' vieux Cherokee a besoin d'un endroit pour s' chauffer au soleil. »

Little Moonlight avait ri... elle avait compris. Elle s'était dressée au bout de la table et avait posé une main sur son ventre un peu rond. « Vieux... ha! » Tout le monde avait ri sauf grand-mère Sarah.

« J' crois qu'i' va y avoir plusieurs mariages par ici... des gens que j' connais. »

Laura Lee avait rougi et avait regardé timidement Josey. Et tout le monde avait de nouveau éclaté de rire.

L'été s'acheva doucement et le premier froid qu'apporta le vent recouvrit d'or les cotonniers le long de la rivière.

Josey Wales savait que la nouvelle était partie de la frontière, de Santo Rio, et il savait qu'il était resté trop longtemps.

C'est grand-mère Sarah qui lui donna l'occasion. A souper elle se plaignit du manque de provisions et Josey dit, trop rapidement : « Je vais y aller. » Et ses yeux rencontrèrent dans la lumière des chandelles ceux de Lone. Le Cherokee comprit, mais ne dit rien.

Josey sella son cheval dans la première lumière du jour et le vent était chargé des parfums de l'automne. Il emmenait Chato avec lui et deux chevaux pour les marchandises, mais seul Chato et les chevaux reviendraient. Lone vint le voir au corral. Il serrait la selle et installait un lourd rouleau... pour un long voyage... derrière la selle.

Josey se retourna vers l'Indien et lui mit un sac d'or dans les mains. « C'est pas le mien... le mien est là », et il posa la main sur les fontes. « Celui-là, c'est pour toi... C'était la part de Jamie... maintenant c'est à toi. Il aurait voulu qu'on l'utilise... pour eux. » Ils se serrèrent les mains et le grand Indien ne dit rien.

« Dis à Little Moonlight, commença Josey,... ah, merde, j' reviendrai et j' donnerai un nom à vot' petit. » Ils savaient tous deux qu'il ne reviendrait pas et Lone s'éloigna. Il trébucha en marchant vers la maison de brique sous les cèdres.

Chato était en selle et faisait sortir les chevaux de la cour quand Josey vit Laura Lee. Elle sortit de la cuisine, timide dans sa chemise de nuit, et plus troublée encore, elle leva les yeux vers lui. Il l'embrassa longuement.

« Cette fois, lui chuchota-t-elle à l'oreille, dis-leur en ville d'envoyer ici le premier pasteur qui passera. »

Josey baissa les yeux vers elle. « Je vais leur dire, Laura Lee. »

Il sortit de la cour, arrêta son cheval et se tourna dans sa selle. Laura Lee n'avait pas bougé, ses longs cheveux lui tombaient sur les épaules. « Laura Lee, oublie pas ce que j't'avais dit... t'es une vraie fille du Texas.

— J'oublierai pas », dit-elle doucement.

Loin sur la piste, il regarda en arrière et la vit à la limite de la cour et la frêle silhouette de grand-mère Sarah était près d'elle. Sur un petit tertre un peu plus loin, il vit Lone qui regardait, son vieux chapeau de cavalerie sur la tête. Et il pensa avoir vu Little Moonlight près de lui, lever la main et lui faire signe, mais il ne pouvait en être sûr... Le vent lui cingla les yeux qui s'emplirent de larmes et il ne les vit plus.

23

Josey et Chato passèrent la nuit à dix miles de Santo Rio et entrèrent en ville en fin de matinée, le jour suivant. Le voyage avait épuisé Chato et sa bonne humeur habituelle laissait la place à de longs moments de silence qui égalaient ceux de Josey. Ils n'avaient pas parlé du départ de Josey mais Chato connaissait la réputation du hors-la-loi et savait comment on faisait sur la frontière. La nouvelle de la bagarre de Santo Rio n'avait pu être tenue secrète et un tueur n'avait rien d'autre à faire qu'à s'en aller. Chato redoutait le moment de la séparation.

Ils attachèrent les chevaux devant le bazar et les chargèrent avec les provisions. De la farine, du sucre et du café, du jambon et des haricots... un plein sac de bonbons. En chargeant le dernier sac, Josey posa dessus un chapeau de dame avec des rubans. Il regarda Chato de l'autre côté du cheval : « C'est pour Laura Lee... tu lui diras... » Il n'acheva pas sa phrase.

Chato regardait par terre. « Je comprends, señor, marmonna-t-il, je lui dirai.

— Ouais, dit Josey, d'un ton définitif, allons boire un verre. »

Ils laissèrent leurs chevaux devant le bazar et se dirigèrent vers le Lost Lady Saloon. Il boirait un verre avec Chato, puis Chato repartirait au nord avec les chevaux, vers le ranch, et lui traverserait le Rio Grande.

Ten Spot faisait une réussite à la table du coin quand ils entrèrent. Josey et Chato passèrent derrière deux hommes qui buvaient au comptoir et prirent place au bout du bar. Rose était assise à une table, seule, et elle gratifia Josey d'un regard chaleureux quand il la salua. « Bonjour, Miss Rose », et il fut instantanément sur ses gardes.

L'atmosphère était tendue. Kelly leur donna des bières mais il avait le visage blême et tiré. Il vint essuyer le comptoir devant Chato et Josey et murmura dans un souffle : « Un flic privé et un autre qu'on appelle un ranger du Texas... I' vous cherchent. » Chato se raidit et son sourire s'éteignit. Josey leva sa chope et observa les deux hommes par-dessus le bord de son verre.

Ils parlaient à voix basse. Tous deux étaient grands, mais l'un portait un melon et un costume de l'Est et l'autre un chapeau de cow-boy tout cabossé signé Stetson. Il avait le visage buriné par le vent et ses vêtements étaient ceux de n'importe quel cow-boy. Tous deux avaient des pistolets à la hanche et ils avaient posé devant eux sur le comptoir un fusil à canon scié. Ils appartenaient à deux mondes différents mais étaient pourtant tous deux des policiers professionnels.

Kelly essuyait des taches sur le comptoir et en découvrait qu'il n'avait pas vues jusqu'ici. Il était entre le hors-la-loi d'un côté et les policiers de l'autre. Kelly n'aimait pas cette position. Il fronça les sourcils en découvrant une nouvelle tache devant Josey et il commença à frotter.

« Le fédéral, c'est le policier privé, murmura-t-il à Josey, le cow-boy est du Texas... pour l'amour de Dieu! » puis il s'éloigna au fond du bar et épousseta les bouteilles. Chato jeta un coup d'œil rapide à Josey et but sa bière. Les deux hommes s'arrêtèrent de parler et regardèrent Josey et Chato droit dans les yeux.

La voix calme et traînante du ranger s'éleva dans le silence. « On est des officiers de police et on cherche Josey Wales. » Il n'y avait aucun soupçon de peur dans les expressions.

Chato, à gauche de Josey, s'éloigna prudemment du bar et dit d'une voix polie : « Laissez le fusil sur le bar, señores. »

Josey ne quitta pas les hommes des yeux mais dit à Chato d'une voix qui emplit la pièce : « Aie pas peur, Chato. On est payés pour monter à cheval... m'est avis qu' c'est c' qu'on a de mieux à faire. »

La voix polie de Chato lui répondit : « *No comprendo*. Je monte à cheval et je marque les bêtes. C'est mon honneur, señor. »

Pas un souffle, pas un geste, sauf Ten Spot qui faisait sa réussite et qui semblait ne rien voir d'autre. Il posa un huit noir sur un neuf noir... c'était la seule façon de s'en sortir. Sa voix légère et insouciante s'éleva du coin, comme s'il avait parlé du temps. « J'ai vu Josey Wales se faire descendre à Monterrey, il y a sept ou huit semaines. On était allés jusque là-bas, Rose et moi et on l'a vu défier cinq pistoleros. Il en a eu trois avant que les autres le descendent. Demandez à Rose. »

Pour la première fois depuis qu'il avait commencé à parler, Ten Spot leva les yeux et s'adressa à Josey. « J' voulais vous raconter ça, monsieur Wells... à votre prochaine visite. C'était un vrai voyou... » Puis il se tourna vers les policiers. « Je vous présente M. Wells, il a un ranch au nord de la ville. » Ten Spot ramassa ses cartes et les battit.

Rose avait la voix aiguë : « J' voulais aussi vous raconter ça, monsieur Wells, vous vous souvenez, la dernière fois que vous êtes venu, on... on parlait de ce hors-la-loi. »

Derrière le bar, Kelly faisait de grands signes de la tête pour les encourager. Ni Josey ni Chato ne parlèrent, ni ne firent un geste. Le ranger regarda Ten Spot. « Est-ce que vous feriez une déclaration écrite ? » demanda-t-il.

« Ouais », dit Ten Spot et il posa un deux rouge sur un trois rouge.

« Et vous, mademoiselle... euh !... Rose ? » dit le ranger.

« Sûr, dit Rose, tout c' que vous voulez », et elle but une large rasade à la bouteille de whisky.

Le policier privé sortit une feuille de papier et un crayon de sa veste et écrivit sur le comptoir.

« Signez ici », dit-il en tendant le crayon à Ten Spot, qui s'approcha et signa. Le policier regarda la signature et fronça les sourcils. « Vous vous appelez... Wilbur Beauregard Francis Willingham ? » demanda-t-il, incrédule.

Ten Spot se dressa de toute sa hauteur dans sa redingote en lambeaux. « Oui, dit-il un peu contracté, des Willingham de Virginie. J'espère que mon nom ne vous offense pas.

— Oh, non, non ! y a pas d'offense », dit rapidement le policier.

Ten Spot, raide et cérémonieux, fit une courte révérence. Rose prit le crayon, essuya la feuille comme si elle avait été couverte de poussière, hésita, essuya de nouveau la feuille en rougissant.

« Madame, dit brusquement Ten Spot, a malheureusement cassé ses lunettes quand nous étions à Monterrey. Vu les circonstances, si vous vouliez accepter une simple croix, je pourrais me porter garant de sa signature.

— D'accord », dit sèchement le policier privé.

Rose fit laborieusement une marque et retourna s'asseoir avec une dignité d'ivrognesse.

Le policier privé regarda le papier, le plia et le glissa dans la poche intérieure de sa veste. « Eh ben... » dit-il d'un ton incertain au ranger, « j' crois qu' ça y est. »

Le ranger leva vers le plafond un œil méditatif comme s'il comptait les poutres. « M'est avis, dit-il, qu'y a à peu près cinq mille types recherchés cette année. J' pense que c' qui est bien dépend de celui qui le dit. C' qu'est bon dans l'Est pour les politiciens, est p'têt' pas bon pour le Texas. On va r'mettre de l'ordre au Texas... ça va nous coûter des braves gars... durs et droits. On va taper sur du fer avec du fer. » Il soupira et se dirigea vers la porte en pensant à la longue route poussiéreuse qui les attendait.

« Quand vous r'passerez par ici, arrêtez-vous chez moi », dit Kelly.

Le ranger jeta un regard chargé de sens, non pas à Kelly mais à Josey Wales. « M'est avis qu'on r'viendra pas », dit-il. Il fit un signe de la main et sortit.

Pour la première fois depuis neuf ans, Josey Wales n'en revenait pas. Quelques instants auparavant, il n'avait comme avenir que la route pénible et sinistre du hors-la-loi. Il devait quitter ceux qu'il aimait, la vallée qu'il avait laissée derrière lui avec tant d'amertume. Et maintenant la vie, une nouvelle vie, faisait chanceler ses pensées et ses sentiments. Là, dans un saloon, un saloon misérable et puant, grâce à des gens que personne n'aurait regardés deux fois dans les rues des grandes villes. Par des hommes, parmi les hommes... comme avait dit Ten Bears.

Chato éclata de rire et lui donna une grande tape dans le dos. Contrairement à son habitude, Kelly offrit une tournée. Ten Spot, petit sourire et yeux vides, lui secouait la main et Rose appuya sur son épaule un sein généreux et l'embrassa avec enthousiasme.

Josey s'avança vers la porte suivi du bruit des éperons de Chato. Il marchait comme en rêve. Il s'arrêta et regarda ces gens que ceux qui ont l'habitude de juger auraient pris pour des épaves. « Mes amis, dit-il, quand vous verrez un pasteur, amenez-le au ranch. Miss Rose, vous accompagnerez ma fiancée, et vous Ten Spot et Kelly vous m'accompagnerez. Si vous ne venez pas, Chato et moi, on viendra vous chercher. »

Ten Spot, Rose et Kelly les regardèrent à la porte du saloon s'en aller au nord. Soudain, ils virent les cavaliers éperonner leurs chevaux. Ils sortirent leurs pistolets et tirèrent en l'air et des cris de joie de Texans vinrent jusqu'à eux, des cris qui exprimaient une soif de vivre.

« On va aller chercher le padre de l'autre côté du fleuve », cria Kelly. Mais le hors-la-loi et le

238

vaquero étaient trop loin et faisaient trop de bruit pour entendre.

Ten Spot jeta un regard de côté à Rose. « J' te paie un verre, Rose... » Il sourit en la voyant lever un sourcil. « C'est pour le Texas... »

Ils vinrent une semaine plus tard. Ten Spot,
Rose et Kelly. Ils amenaient le padre, un violoneux, deux autres vaqueros, dont un qui jouait
de la guitare, et trois señoritas qui avaient
traversé le fleuve pour prendre un peu de bon
temps. Ils arrivèrent chargés de cadeaux du
Texas, des bottes pour Laura Lee, des bouteilles
de mauvais whisky, des tonnelets de bière et un
ruban pour les cheveux de grand-mère Sarah.
Ils arrivèrent en applaudissant et en chantant
comme à un vrai mariage du Texas et il y en eut
deux. Josey et Laura Lee, Lone et Little Moonlight.

Rose était éblouissante en demoiselle d'honneur dans une robe jaune d'or avec des pompons brillants qui miroitaient quand elle marchait. Le padre fronça un peu les sourcils en
voyant le ventre de Little Moonlight mais il
soupira et se fit une raison. On était au Texas.
La cérémonie de l'homme blanc enchanta Little
Moonlight et quand on lui demanda si elle
acceptait d'être la femme de Lone, elle hurla un
grand « Ouais ! » comme on le lui avait appris.

Selon la tradition du Texas, la fête dura

plusieurs jours, jusqu'à ce que le violoneux ait les doigts si raides qu'il ne puisse plus pousser l'archet... et jusqu'à ce qu'il n'y ait plus d'alcool.

Le mariage ne pouvait être convenablement conclu sans que Little Moonlight et Lone aient une petite fille aux yeux en amande. Grand-mère Sarah s'empressa autour du bébé et fit des sermons à Josey et à Laura Lee pour leur expliquer que cela plaisait à Dieu.

Les automnes et les printemps passèrent et Ten Bears se reposa avec son peuple et fit des « medicine » selon la tradition. Jusqu'à un automne à partir duquel Ten Bears et les Comanches ne vinrent plus jamais. La parole d'acier avait été respectée. Et Josey se demandait ce qui se serait passé si des hommes comme le Ranger s'étaient rencontrés avec Ten Bears comme il l'avait fait. Cette pensée lui revenait la plupart du temps dans les brumes de l'été indien, chaque automne, quand la vallée se couvrait d'or et de rouges, en souvenir des Comanches.

Josey et Laura Lee eurent d'abord un fils. Les yeux bleus, les cheveux blonds et grand-mère Sarah ne s'inquiéta plus de son âge, satisfaite de voir une nouvelle semence germer dans le sol. Ils ne donnèrent pas au bébé le nom de son père. Josey Wales insista. Et on l'appela Jamie.

Table des matières

Achevé d'imprimer le 18 mai 1981
sur presse CAMERON,
dans les ateliers de la S.E.P.C.
à Saint-Amand-Montrond (Cher)
pour le compte des Éditions Stock
14, rue de l'Ancienne-Comédie, 75006 Paris

Imprimé en France

Dépôt légal : 2ᵉ trimestre 1981.
Nᵘ d'Édition : 4322. Nᵘ d'Impression : 944/537.

54-05-3119-01

ISBN 2-234 01477-8